دروس اللغة العربية
لغير الناطقين بها

Madinah
Arabic Reader
Book 4

**AN EIGHT-PART ARABIC
LANGUAGE COURSE AS TAUGHT
AT THE ISLAMIC UNIVERSITY, MADINAH**

Dr. V. Abdur Rahim

Good Aya ♡

goodwordbooks.com

CONTENTS

Goodword Books
1, Nizamuddin West Market, New Delhi - 110 013
E-mail: info@goodwordbooks.com
Illustrated by Gurmeet
First published 2007, Reprinted 2008
Printed in India
© Goodword Books 2008

الدَّرْسُ الأَوَّلُ

LESSON 1

(فِي الْحَافِــلَةِ)

الأَوَّلُ : السَّلامُ عَلَيْكُمْ.

الثَّاني : وَعَلَيْكُمُ السَّلامُ وَرَحْمَةُ اللهِ وَبَرَكَاتُهُ.

الأَوَّلُ : مَا اسْمُكَ يَا أَخِي؟

الثَّاني : اِسْمِي عَبْدُ اللهِ وَمَا اسْمُكَ؟

الأَوَّلُ : اِسْمِي فَيْصَلٌ. أَطَالِبٌ أَنْتَ يَا عَبْدَ اللهِ؟

عَبْدُ اللهِ : نَعَمْ.

فَيْصَلٌ : أَيْنَ تَدْرُسُ يَا أَخِي؟

عَبْدُ اللهِ : أَدْرُسُ بِجَامِعَةِ الرِّيَاضِ.

فَيْصَلٌ : فِي أَيِّ كُلِّيَّةٍ تَدْرُسُ؟

عَبْدُ اللهِ : أَدْرُسُ فِي كُلِّيَّةِ الْهَنْدَسَةِ.

فَيْصَلٌ : فِي أَيِّ سَنَةٍ تَدْرُسُ؟

عَبْدُ اللهِ : أَدْرُسُ فِي السَّنَةِ الثَّانِيَةِ.

فَيْصَلٌ : أَتَعْرِفُ الْمُهَنْدِسَ سَلْمَانَ؟

عَبْدُ اللهِ : طَبْعاً. هُوَ أُسْتَاذِي. هُوَ أَحْسَنُ مُدَرِّسٍ فِي الكُلِّيَّةِ.

فَيْصَلٌ : مَنْ هَؤُلَاءِ الْفِتْيَةُ الَّذِينَ مَعَكَ؟ كَأَنَّهُمْ إِخْوَتُكَ.

عَبْدُ اللهِ : نَعَمْ. هَؤُلَاءِ إِخْوَتِي. لِي أَرْبَعَةُ إِخْوَةٍ وَثَلَاثُ أَخَوَاتٍ.

فَيْصَلٌ : أَيْنَ يَدْرُسُ هَؤُلَاءِ؟

عَبْدُ اللهِ : أَمَّا إِخْوَتِي فَكُلُّهُمْ يَدْرُسُونَ بِالْجَامِعَةِ. عِيسَى – وَ هُوَ أَكْبَرُ مِنِّي– يَدْرُسُ فِي كُلِّيَّةِ الطِّبِّ. وَإِبْرَاهِيمُ يَدْرُسُ فِي كُلِّيَّةِ التِّجَارَةِ. وَإِسْحَاقُ يَدْرُسُ فِي كُلِّيَّةِ الآدَابِ. وَإِسْمَاعِيلُ يَدْرُسُ فِي كُلِّيَّةِ الْعُلُومِ. وَ هَؤُلَاءِ الثَّلَاثَةُ أَصْغَرُ مِنِّي. وَأَمَّا الأَخَوَاتُ فَيَدْرُسْنَ فِي الْمَدْرَسَةِ الْمُتَوَسِّطَةِ. زَيْنَبُ تَدْرُسُ فِي السَّنَةِ الأُولَى وَسَلْمَى تَدْرُسُ فِي السَّنَةِ الثَّانِيَةِ وَلَيْلَى تَدْرُسُ فِي السَّنَةِ الثَّالِثَةِ.

فَيْصَلٌ : فِي أَيِّ مَدْرَسَةٍ تَدْرُسُ أَخَوَاتُكَ؟

عَبْدُ اللهِ : يَدْرُسْنَ فِي مَدْرَسَةِ خَالِدِ بْنِ الْوَلِيدِ لِلْبَنَاتِ بِمَكَّةَ.

فَيْصَلٌ : أَيْنَ تَسْكُنُونَ أَنْتُمْ؟

عَبْدُ اللهِ : إِخْوَتِي يَسْكُنُونَ فِي مَهَاجِعِ الْجَامِعَةِ. أَمَّا أَنَا فَأَسْكُنُ مَعَ قَرِيبٍ لِي.

فَيْصَلٌ : أَمُتَزَوِّجٌ أَنْتَ يَا عَبْدَ اللهِ؟

عَبْدُ اللهِ : لاَ. لَسْتُ بِمُتَزَوِّجٍ.

فَيْصَلٌ : مَا عُنْوَانُكَ؟

عَبْدُ اللهِ : هَذِهِ بِطَاقَتِي فِيهَا عُنْوَانِي.

فَيْصَلٌ : أَشْكُرُكَ يَا أَخِي. اَنَا مَسْرُورٌ بِلِقَائِكَ... أَنَا سَانْزِلُ فِي الْمَحَطَّةِ الْقَادِمَةِ.

عَبْدُ اللهِ : فِي أَمَانِ اللهِ، وَ إِلَى اللِّقَاءِ.

السَّائِقُ (لِفَيْصَلٍ): هَذا الْبَابُ لِلدُّخُولِ يَا سَيِّدِي. النُّزُولُ مِنْ هُنَاكَ.

EXERCISES تَمَارِينُ

١- أَجِبْ عَنِ الأَسْئِلَةِ الآتِيَةِ: Answer the following questions:

(١) بِأَيِّ جَامِعَةٍ يَدْرُسُ عَبْدُ اللهِ؟

(٢) فِي أَيِّ كُلِّيَّةٍ يَدْرُسُ هُوَ؟

(٣) فِي أَيِّ كُلِّيَّةٍ يَدْرُسُ عِيسَى؟

(٤) فِي أَيِّ كُلِّيَّةٍ يَدْرُسُ إِبْرَاهِيمُ؟

(٥) فِي أَيِّ كُلِّيَّةٍ يَدْرُسُ إِسْحَاقُ؟

(٦) فِي أَيِّ كُلِّيَّةٍ يَدْرُسُ إِسْمَاعِيلُ؟

(٧) أَيْنَ تَدْرُسُ أَخَوَاتُ عَبْدِ اللهِ؟

(٨) أَيْنَ يَسْكُنُ عَبْدُ اللهِ؟

(٩) وَأَيْنَ يَسْكُنُ إِخْوَتُهُ؟

٢- صَحِّحْ مَا يَلِي: Correct the following statements:

(١) لايَعْرِفُ عَبْدُ اللهِ الْمُهَنْدِسَ سَلْمَانَ.

(٢) عَبْدُ اللهِ مُتَزَوِّجٌ.

(٣) يَدْرُسُ عَبْدُ اللهِ فِي السَّنَةِ الأُولَى.

(٤) نَزَلَ عَبْدُ اللهِ مِنَ الْحَافِلَةِ قَبْلَ نُزُولِ فَيْصَلٍ.

٣- أَجِبْ عَنِ الأَسْئِلَةِ الآتِيَةِ (هَذِهِ الأَسْئِلَةُ لَيْسَتْ مَبْنِيَّةً عَلَى الدَّرْسِ الأَوَّلِ):

Answer the following questions (These questions are not based on the lesson):

(١) أَيْنَ تَدْرُسُ أَنْتَ؟

(٢) أَيْنَ تَسْكُنُ؟

(٣) أَتَعْرِفُ اللُّغَةَ الفَرَنْسِيَّةَ؟

(٤) مِنْ أَيِّ إِذَاعَةٍ تَسْمَعُ الأَخْبَارَ؟

(٥) أَتَعْرِفُ بَيْتَ الْمُدَرِّسِ؟

٤– تَأَمَّلْ الأَمْثِلَة، ثُمَّ ضَعْ فِي الْفَرَاغِ فِيمَا يَلِي الْمُضَارِعَ مِنَ الفِعْلِ (ذَهَبَ) بَعْـدَ إسْنَادِه إِلَى الضَّمِيرِ:

Read the example, then fill in the blanks with a suitable form of the verb ذَهَبَ in the مُضَارِع:

عَبْدُ اللهِ يَدْرُسُ بِجَامِعَةِ الرِّيَاضِ وَإِخْوَتُهُ أَيْضاً يَدْرُسُونَ بِجَامِعَةِ الرِّيَاضِ، وَأَخَوَاتُهُ يَدْرُسْنَ فِـي الْمَدْرَسَةِ الْمُتَوَسِّطَةِ. زَيْنَبُ تَدْرُسُ فِي السَّنَةِ الأُولَى.

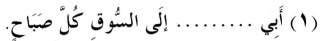

(١) أَبِي .... إِلَى السُّوقِ كُلَّ صَبَاحٍ.

(٢) الطُّلَّابُ .... الآنَ إِلَى الْمَلْعَبِ.

(٣) أُخْتِي .... إِلَى الْمَدْرَسَةِ.

(٤) آمِنَةُ وَفَاطِمَةُ وَعَائِشَةُ .... الآنَ إِلَى الْمَكْتَبَةِ.

(٥) أَيْنَ .... أَنْتَ يَا أَحْمَدُ؟

(٦) أَنَا.......... الآنَ إِلَى الْمَسْجِدِ.

٥– أَكْمِلْ الْجُمَلَ الآتِيَةَ بِوَضْعِ فِعْلٍ مُضَارِعٍ مُنَاسِبٍ:

Fill in the blanks with a suitable verb in the مُضَارِع:

(١) الطُّلَّابُ .... كُرَةَ الْقَدَمِ كُلَّ مَسَاءٍ.

(٢) الْمُدَرِّسُ .... الدَّرْسَ عَلَى السَّبُّورَةِ.

(٣) أَخَوَاتِي.......... الثِّيَابَ بِالصَّابُونِ.

(٤) أَنَا.......... الْقُرْآنَ كُلَّ صَبَاحٍ.

(٥) أَ.......... الأَخْبَارَ مِنَ الإِذَاعَةِ كُلَّ يَوْمٍ يَا عَبْدَ اللَّهِ؟

(٦) الطَّالِبَاتُ.......... إِلَى الْمَدْرَسَةِ بِحَافِلَةِ الْمَدْرَسَةِ.

(٧) أَ .... الأَذَانَ فِي غُرْفَتِكَ يَا عَلِيُّ؟

(٨) الطُّلَّابُ .... الْمُدَرِّسَ أَسْئِلَةً كَثِيرَةً.

(٩) النِّسَاءُ .... التُّفَّاحَ.

(١٠) الْمُدِيرَةُ .... الْآنَ مِنْ مَكْتَبِهَا.

(١١) أَنَا .... فِي كُلِّيَّةِ الْهَنْدَسَةِ.

(١٢) أُخْتِي......... الْآنَ دُرُوسَهَا فِي الدَّفْتَرِ.

٦- حَوِّلْ الْمُبْتَدَأَ فِي كُلٍّ مِنَ الْجُمَلِ الْآتِيَةِ إِلَى جَمْعٍ:

Change the مُبْتَدَأ in each of the following sentences to plural:

(١) الطَّالِبُ يَدْخُلُ الْفَصْلَ.

(٢) الرَّجُلُ يَأْكُلُ الْأَرُزَّ.

(٣) الْعَامِلُ يَعْمَلُ فِي الْمَصْنَعِ ثَمَانِيَ سَاعَاتٍ.

(٤) التَّاجِرُ يَفْتَحُ الدُّكَّانَ فِي السَّاعَةِ الثَّامِنَةِ.

(٥) الطَّبِيبُ يَذْهَبُ الْآنَ إِلَى الْمُسْتَشْفَى.

(٦) أُخْتِي تَبْحَثُ عَنِ الْمِكْنَسَةِ.

(٧) الْمُدَرِّسَةُ تَدْخُلُ الْفَصْلَ فِي السَّاعَةِ الثَّامِنَةِ.

(٨) الطَّالِبَةُ تَكْتُبُ الدَّرْسَ.

(٩) زَمِيلَةُ أُخْتِي تَعْرِفُ اللُّغَةَ الْفَرَنْسِيَّةَ.

(١٠) بِنْتُ عَمِّي تَدْرُسُ فِي الْمَدْرَسَةِ الثَّانَوِيَّةِ.

٧- أَنِّثْ الْفَاعِلَ فِي كُلٍّ مِنَ الْجُمَلِ الْآتِيَةِ:

Change the فَاعِل in each of the following sentences to feminine:

أَيْنَ تَدْرُسُ أُخْتُكَ يَا عَلِيُّ؟ (١) أَيْنَ يَدْرُسُ أَخُوكَ يَا عَلِيُّ؟

(٢) يَشْرَبُ أَبِي الْقَهْوَةَ.

(٣) يَلْعَبُ الطِّفْلُ مَعَ أُخْتِه.

(٤) يَذْهَبُ الطَّالِبُ إِلَى الْمَدْرَسَةِ.

(٥) أَيْنَ يَجْلِسُ الْمُدَرِّسُ؟

Read and remember:

٨- تَأَمَّلْ مَا يَلِي:

$$تَـذْهَـبُ$$

أَنْتَ تَذْهَبُ   هِيَ تَذْهَبُ

٩- حَوِّلِ الْفِعْلَ فِي كُلٍّ مِنَ الْجُمَلِ الآتِيَةِ إِلَى مُضَارِعٍ:

Change the مَاضٍ **verbs in the following sentences to** مُضَارِعٌ:

(١) أَنَا ذَهَبْتُ إِلَى السُّوقِ.   أَنَا أَذْهَبُ إِلَى السُّوقِ.

(٢) غَسَلَ الْوَلَدُ وَجْهَهُ بِالصَّابُونِ.

(٣) الطُّلَّابُ خَرَجُوا مِنَ الْفَصْلِ.

(٤) بِأَيِّ جَامِعَةٍ دَرَسْتَ يَا فَيْصَلُ؟

(٥) الطَّالِبَاتُ دَخَلْنَ الْفَصْلَ.

(٦) لَعِبَتْ آمِنَةُ مَعَ أُخْتِهَا.

(٧) كَتَبَ الْمُدَرِّسُ الدَّرْسَ عَلَى السَّبُّورَةِ.

(٨) سَأَلَ الطُّلَّابُ الْمُدَرِّسَ أَسْئِلَةً كَثِيرَةً.

(٩) نَزَلَ الرُّكَّابُ مِنَ الْحَافِلَةِ.

(١٠) غَسَلَتْ أُمِّي الثِّيَابَ.

8

١٠- تَأَمَّلْ الْمِثالَيْنِ، ثُمَّ حَوِّلْ الأَفْعَالَ فِي الْجُمَلِ الآتِيَةِ إِلَى أَفْعَالٍ مَنْفِيَّةٍ:

Turn the verbs in the following sentences into negative as shown in the examples:

(أ) كَتَبَ أَحْمَدُ الدَّرْسَ. — مَاكَتَبَ أَحْمَدُ الدَّرْسَ.

(ب) يَكْتُبُ أَحْمَدُ الدَّرْسَ. — لاَ يَكْتُبُ أَحْمَدُالدَّرْسَ.

(١) أَنَا أَشْرَبُ الشَّايَ. ....

(٢) لَعِبْنَا كُرَةَ الْقَدَمِ الْيَوْمَ. ....

(٣) أَبِي يَذْهَبُ إِلَى السُّوقِ كُلَّ يَومٍ. ....

(٤) أُخْتِي تَدْرُسُ بِالْجَامِعَةِ. ....

(٥) أَحَفِظْتِ سُورَةَ النَّبَأِ يَا مَرْيَمُ؟ ....

١١- تَأَمَّلْ الأَمْثِلَةَ، ثُمَّ أَجِبْ عَنِ الأَسْئِلَةِ الآتِيَةِ مُسْتَعْمِلاً «حَرْفَ الاسْتِقْبَالِ»:

Answer the following questions using حَرْفُ الاسْتِقْبَالِ as shown in the examples:

(أ) سَيَرْجِعُ الْمُدِيرُ غَداً.

(ب) سَأَذْهَبُ إِلَى مَكَّةَ بَعْدَ أُسْبُوعٍ إِنْ شَاءَ اللهُ.

(ج) أَذْهَبُ إِلَى الْمَلْعَبِ كُلَّ مَسَاءٍ. سَأَذْهَبُ هَذا الْمَسَاءَ إِلَى الْمَكْتَبَةِ.

(١) مَتَى يَرْجِعُ أَبُوكَ مِنْ بَغْدَادَ يَا عَلِيُّ؟ سَيَرْجِعُ بَعْدَ أُسْبُوعٍ.

(٢) أَيْنَ تَذْهَبُ هَذَا الْمَسَاءَ؟

(٣) مَتَى تَكْتُبُ الرِّسَالَةَ إِلَى أُمِّكَ يَايُونُسُ؟

(٤) مَتَى تَغْسِلُ السَّيَّارَةَ يَا وَلَدُ؟

(٥) مَتَى تَذْهَبُ إِلَى الْحَلاَّقِ يَا هِشَامُ؟

(٦) فِي أَيِّ مَحَطَّةٍ تَنْزِلُ يَاسَيِّدِي؟

١٢– اقْرَأ الْمِثالَيْنِ، ثُمَّ اكْتُبْ مَصادرَ الأفْعالِ الآتيَة عَلَى غِرارِهِما:

Write the مَصْدَر of the following verbs as shown in the examples:

الْمَاضِي	الْمُضارِعُ	الْمَصْدَرُ	الْمَاضِي	الْمُضارِعُ	الْمَصْدَرُ
دَخَلَ	يَدْخُلُ	دُخُولٌ	خَرَجَ	يَخْرُجُ	خُرُوجٌ
رَكِبَ	يَرْكَبُ	....	سَجَدَ	يَسْجُدُ	....
جَلَسَ	يَجْلِسُ	....	رَكَعَ	يَرْكَعُ	....
نَزَلَ	يَنْزِلُ	....	صَعِدَ	يَصْعَدُ	....

١٣– اقْرَأْ الجُمَلَ الآتيَةَ وَ عَيِّنِ الْمَصَادِرَ الوَارِدَةَ فِيهَا:

Point out the مَصْدَر in the following sentences:

(١) لِهَذِهِ الْحَافِلَةِ بَابَانِ: هَذا لِلدُّخُولِ وَذاكَ لِلْخُرُوجِ.

(٢) مَاتَ الرَّجُلُ بَعْدَ رُجُوعِهِ مِنَ الْحَجِّ.

(٣) يَدْخُلُ الطُّلاَّبُ الْفَصْلَ قَبْلَ دُخُولِ الْمُدَرِّسِ بِخَمْسِ دَقَائِقَ وَيَخْرُجُونَ بَعْدَ خُرُوجِهِ.

(٤) قَالَ لَنَا الطَّبِيبُ: الجُلُوسُ هُنَا مَعَ الْمَرِيضِ مَمْنُوعٌ.

(٥) الصُّعُودُ عَلَى الْجَبَلِ صَعْبٌ وَالنُّزُولُ مِنْهُ سَهْلٌ.

(٦) أُحِبُّ رُكُوبَ الخَيْلِ.

(٧) قَالَ حَامِدٌ لابْنِهِ يَاسِرٍ. سَأَذْهَبُ إِلَى السُّوقِ بَعْدَ رُجُوعِكَ مِنَ الْمَدْرَسَةِ.

١٤– تَأَمَّلْ الأَمْثِلَةَ ثُمَّ أَجِبْ عَنِ الأَسْئِلَةِ مُسْتَعْمِلاً «أَمَّا»:

Answer the following questions using أمّا as shown in the examples:

(أ) أَيْنَ تَسْكُنُونَ؟

إِخْوَتِي يَسْكُنُونَ فِي مَهَاجِعِ الْجَامِعَةِ. أَمَّا أَنَا فَأَسْكُنُ مَعَ قَرِيبٍ لِي.

(ب) أَتَعْرِفُ الإِنْكْلِيزِيَّةَ وَالْفَرَنْسِيَّةَ جَيِّداً يا حامِدُ؟

أَمَّا الإِنْكْلِيزِيَّةُ فَأَعْرِفُها جَيِّداً. وَأَمَّا الْفَرَنْسِيَّةُ فَدَرَسْتُها قَبْلَ سَنَواتٍ وَلَكِنِّي نَسِيتُها الآنَ.

(ج) بِكَمْ هَذا الْكِتابُ وَهَذِهِ الْمَجَلَّةُ؟

أَمَّا الْكِتابُ فَهُوَ بِعَشَرَةِ رِيالاتٍ. وَأَمَّا الْمَجَلَّةُ فَهِيَ بِثَلاثَةِ رِيالاتٍ.

(١) أَيْنَ الْمُسْتَشْفَى وَأَيْنَ مَكْتَبُ الْبَرِيدِ؟

......أَمامَ ذاكَ الْمَسْجِدِ و......قَرِيبٌ مِنَ السُّوقِ.

(٢) فِي أَيِّ كُلِّيَّةٍ يَدْرُسُ حامِدٌ وَعُثْمانُ؟

......فِي كُلِّيَّةِ التِّجارَةِ وَ......فِي كُلِّيَّةِ الطِّبِّ.

(٣) أَيْنَ ذَهَبَ أَبُوكَ وَأَخُوكَ؟

......إِلَى الْمُسْتَوْصَفِ وَ......إِلَى الصَّيْدَلِيَّةِ.

١٥– تَأَمَّلْ الأَمْثِلَةَ الآتِيَةَ: Read the following examples:

(١) جاءَ أَخِي مِنْ مَكَّةَ. جاءَ أَخٌ لِي مِنْ مَكَّةَ. (= جاءَ أَحَدُ إِخْوَتِي)

(٢) ذَهَبْتُ لِزِيارَةِ صَدِيقِي. ذَهَبْتُ لِزِيارَةِ صَدِيقٍ لِي. (= لِزِيارَةِ أَحَدِ أَصْدِقائِي).

(٣) أَسْكُنُ مَعَ قَرِيبِي. أَسْكُنُ مَعَ قَرِيبٍ لِي. (= مَعَ أَحَدِ أَقْرِبائِي)

الْكَلِماتُ الْجَدِيدَةُ: New words:

دَرَسَ (يَدْرُسُ)	سَكَنَ (يَسْكُنُ)	شَكَرَ (يَشْكُرُ)
نَزَلَ (يَنْزِلُ)	بَحَثَ (يَبْحَثُ)	صَعِدَ (يَصْعَدُ)
عَرَفَ (يَعْرِفُ)	ماتَ (يَمُوتُ)	نَسِيتُ
قَرِيبٌ (ج أَقْرِباءُ)	عُنْوانٌ (ج عَناوِينُ)	بِطاقَةٌ (ج بِطاقاتٌ)
مَحَطَّةٌ (ج مَحَطّاتٌ)	ثَوْبٌ (ج ثِيابٌ)	رِسالَةٌ (ج رَسائِلُ)
حَلاَّقٌ (ج حَلاَّقُونَ)	مُسْتَوْصَفٌ	صَيْدَلِيَّةٌ
أَرُزٌّ	قادِمٌ	خَيْلٌ (ج خُيُولٌ)

POINTS TO REMEMBER

In this lesson, we learn the following:

1) In the previous lesson we have been introduced to the *mudâri'*, and we have learnt يَذْهَبُ 'he goes'. Now we learn its *isnâd* to other pronouns:

(a) The plural of يَذْهَبُ is يَذْهَبُونَ (**ya**-dhhab-**ûna**) 'they (mas.) go. Here is one more example:

إِخْوَتِي يَدْرُسُونَ بِالْجَامِعَةِ. 'My brothers are studying at the university.'

(b) 'she goes' is تَذْهَبُ (**ta**-dhhabu). Here are some more examples:

مَاذَا تَكْتُبُ آمنةُ الآنَ؟ 'What is Aminah writing now?'

تَكْتُبُ رِسَالَةً إِلَى أُمِّهَا. 'She is writing a letter to her mother.'

(c) The plural of تَذْهَبُ is يَذْهَبْنَ (**ya**-dhhab-**na**) 'they (fem.) go'. Here is another example:

إِخْوَتِي يَدْرُسُونَ بِالْجَامِعَةِ، وَأَخَوَاتِي يَدْرُسْنَ بِالْمَدْرَسَةِ. 'My brothers are studying at the university, and my sisters are studying at the school.

(d) We have just seen that تَذْهَبُ means 'she goes.' It also means 'you (mas. sing.) go.'

(e) 'I go' is أَذْهَبُ (**a**-dhhabu), e.g.:

أَيْنَ تَذْهَبُ يا بلالُ؟ 'Where are you going, Bilal?'

أَذْهَبُ إِلَى السُّوقِ. 'I am going to the market.'

(f) 'You go' for masculine plural is تَذْهَبُونَ (**ta**-dhhab-**ûna**). Here is a another example:

مَاذا تَشْرَبُونَ يا إِخْوانُ؟ 'What are you drinking, brothers?'

2) We have seen earlier that يَـــذْهَبُ means 'he goes' or 'he will go'. Now to make the *mudâri'* exclusively for future, the particle سَـــ is prefixed to it, e.g.:

سَيَذْهَبُ أَبِي إِلَى مَكَّةَ غَدًا. 'My father will go to Makkah tomorrow.'

سَأَكْتُبُ لَكَ رِسَالَةً إِنْ شَاءَ اللهُ. 'I'll write to you a letter God willing.'

This سَـــ is called حَرْفُ الاسْتِقْبَالِ (the particle of futurity). Note that سَـــ is not used in questions, e.g.: مَتَى تَذْهَبُ إِلَى الْهِنْدِ؟ 'When will you go to India?'

3) We have learnt earlier that the *mâḏî* is made negative by using مَا, e.g.:

مَا أَكَلْتُ شَيْئًا. 'I did not eat anything.'

The negative particle used with the *muḏâri'* is لاَ, e.g.:

لاَ أَفْهَمُ الفِرَنْسِيَّةَ. 'I don't understand French.'

لاَ أَشْرَبُ القَهْوَةَ. 'I don't drink coffee.'

4) The *masdar* is the verb minus the tense and the subject. So دَخَلَ means 'he entered, and يَدْخُلُ 'he enters,. But دُخُولٌ means 'entry'. The *masdar* in Arabic has many patterns. We learn here only one of these, and it is فُعُولٌ, e.g.:

دُخُولٌ 'entry' from دَخَلَ.

خُرُوجٌ 'exit' from خَرَجَ.

سُجُودٌ 'prostration' from سَجَدَ.

رُكُوعٌ 'bowing' from رَكَعَ.

جُلُوسٌ 'sitting' from جَلَسَ.

The *masdar* is a noun so it takes ال and *tanwîn*, e.g.:

الدُّخُولُ مَمْنُوعٌ. 'Entry is forbidden.'

الرُّكُوعُ قَبْلَ السُّجُودِ. 'The *rukû'* is before the *sujûd*.'

خَرَجْنَا مِنَ الفَصْلِ قَبْلَ خُرُوجِ الْمُدَرِّسِ. 'We left the class before the teacher's exit.'

5) أَمَّا: This is a very frequently used word. It is used when we speak about two or more items. It can be translated as 'as for...', e.g.:

مِنْ أَيْنَ أَنْتُمْ؟ 'Where are you from?'

أَنَا مِنْ أَلْمَانيَا. أَمَّا بِلالٌ فَهُوَ مِنْ بَاكِسْتَانَ، وأَمَّا إِبْرَاهِيمُ فَهُوَ مِنَ اليَابَانِ. 'I'm from Germany. As for Bilâl, he is from Pakistan, and as for Ibrahîm, he is from Japan.'

Note that the *khabar* after أَمَّا should take فَـ. Here are some more examples:

أَيْنَ يَسْكُنُ أَخُوكَ وأُخْتُكَ؟ 'Where do your brother and sister live?'

أُخْتِي تَسْكُنُ مَعِي. أَمَّا أَخِي فَيَسْكُنُ مَعَ أَبِي وأُمِّي. 'My sister lives with me. As for my brother, he lives with my father and mother.'

بِكَمْ هَذَانِ الْقَلَمَانِ؟ 'How much do these two pens cost?'

هَذَا بِرِيَالٍ. أَمَّا ذَاكَ فَبِعَشَرَةٍ. 'This costs one riyal. As for that, it costs 10 (riyals).'

6) أَخِي means 'my brother' and أَخٌ لِي means 'a brother of mine,' 'one of my brothers'. The first is definite, the second indefinite.

VOCABULARY

يَدْرُسُ	دَرَسَ	(a-u) to study	حَلَّاقٌ	barber
يَنْزِلُ	نَزَلَ	(a-i) to descend	أَرُزٌّ	rice
يَعْرِفُ	عَرَفَ	(a-i) to know	عُنْوَانٌ	address
يَسْكُنُ	سَكَنَ	(a-u) to stay, to live	ثَوْبٌ	clothes
يَبْحَثُ عَنْ	بَحَثَ	(a-a) to look for	مُسْتَوْصَفٌ	clinic
يَمُوتُ	مَاتَ	(a-u) to die	قَادِمٌ	coming
يَشْكُرُ	شَكَرَ	(a-u) to thank	بِطَاقَةٌ	visiting card
يَصْعَدُ	صَعِدَ	(i-a) to ascend	رِسَالَةٌ	letter
	نَسِيتُ	I forgot	صَيْدَلِيَّةٌ	pharmacy
	قَرِيبٌ	relative	خَيْلٌ	horses
	مَحَطَّةٌ	station		

الدَّرْسُ الثَّانِي

LESSON 2

حَامِدٌ : مَاذَا تَفْعَلِينَ يَا أُمَّ أَحْمَدَ؟

أُمُّ أَحْمَدَ: أَبْحَثُ عَنِ الدَّوَاءِ الَّذِي أَخَذْتُهُ مِنَ الْمُسْتَشْفَى أَمْسِ.

حَامِدٌ : هُوَ عَلَى الْمَكْتَبِ فِي غُرْفَتِي... كَيْفَ حَالُكِ الْيَوْمَ؟ لَعَلَّكِ الْيَومَ أَحْسَنُ.

أُمُّ أَحْمَدَ: نَعَمْ. أَنَا الْيَومَ أَحْسَنُ، وَالْحَمْدُ لِلَّهِ.

حَامِدٌ : مَتَى تَذْهَبِينَ إِلَى الْمُسْتَشْفَى؟

أُمُّ أَحْمَدَ: سَأَذْهَبُ بَعْدَ سَاعَةٍ إِنْ شَاءَ اللهُ.

حَامِدٌ : مَعَ مَنْ تَذْهَبِينَ؟

أُمُّ أَحْمَدَ: سَأَذْهَبُ مَعَ أَحْمَدَ.

حَامِدٌ : أَتَعْرِفِينَ الطَّبِيبَةَ الَّتِي ذَهَبْتِ إِلَيْهَا أَمْسِ؟

أُمُّ أَحْمَدَ: نَعَمْ أَعْرِفُهَا. اسْمُهَا الدُّكْتُورَةُ سُعَادُ. يَقُولُونَ إِنَّهَا أَحْسَنُ طَبِيبَةٍ فِي الْمُسْتَشْفَى.

حَامِدٌ : مَاذَا تَفْعَلُونَ يَاأَبْنَائِي؟

الأَبْنَاءُ : نَكْتُبُ الْوَاجِبَاتِ.

حَامِدٌ : أَتَفْهَمُونَ الدُّرُوسَ جَيِّدًا؟

الأَبْنَاءُ : نَعَمْ. نَفْهَمُهَا جَيِّدًا وَالْحَمْدُ لِلَّهِ.

حَامِدٌ : أَيَّ سُورَةٍ تَحْفَظُونَ الآنَ؟

أَحْمَدُ : أَمَّا أَنَا فَأَحْفَظُ سُورَةَ الْمُلْكِ. وَأَمَّا هَؤُلَاءِ فَيَحْفَظُونَ سُورَةَ الْقَلَمِ.

حَامِدٌ : وَمَاذَا تَفْعَلْنَ أَنْتُنَّ يَا بَنَاتِي؟

الْبَنَاتُ : نَحْنُ الآنَ نَلْعَبُ.

حَامِدٌ : أَفِي وَقْتِ الْعَمَلِ تَلْعَبْنَ؟ مَتَى تَقْرَأْنَ الدُّرُوسَ وَمَتَى تَكْتُبْنَ الْوَاجِبَاتِ؟

الْبَنَاتُ : نَحْنُ قَرَأْنَا الدُّرُوسَ وَكَتَبْنَا الوَاجِبَاتِ وَالْحَمْدُ لِلَّهِ.

حَامِدٌ : أَحْسَنْتُنَّ يَا بَنَاتِي. هَكَذَا تَفْعَلُ التِّلْمِيذَاتُ الْمُجْتَهِدَاتُ... مَتَى تَذْهَبْنَ لِزِيَارَةِ خَالَتِكُنَّ؟ أَتَعْرِفْنَ أَنَّهَا مَرِيضَةٌ؟

الْبَنَاتُ : نَعَمْ. نَعْرِفُ ذَلِكَ. شَفَاهَا اللهُ. سَنَذْهَبُ لِزِيَارَتِهَا هَذَا الْمَسَاءَ إِنْ شَاءَ اللهُ.

حَامِدٌ : يَا أَحْمَدُ. أَتَعْرِفُ مَتَى يَرْجِعُ الْجِيرَانُ مِنْ مَكَّةَ؟

أَحْمَدُ : قَالَ لِي يُوسُفُ: «إِنَّنَا سَنَرْجِعُ فِي الأُسْبُوعِ القَادِمِ». أَظُنُّ أَنَّهُمْ سَيَرْجِعُونَ يَوْمَ السَّبْتِ إِنْ شَاءَ اللهُ.

تَمَارِينُ EXERCISES

١- صَحِّحْ مَا يَلِي: Correct the following:

(١) تَبْحَثُ أُمُّ أَحْمَدَ عَنِ الْمِفْتَاحِ. الدواء

(٢) سَتَذْهَبُ أُمُّ أَحْمَدَ إِلَى الْمُسْتَشْفَى مَعَ زَوْجِهَا. أحمد

(٣) أُمُّ أَحْمَدَ لاَ تَعْرِفُ الدُّكْتُورَةَ سُعَادَ.

(٤) أَحْمَدُ يَحْفَظُ سُورَةَ الْقَلَمِ، وَإِخْوَتُهُ يَحْفَظُونَ سُورَةَ الْمُلْكِ.

(٥) جِيرَانُ حَامِدٍ ذَهَبُوا إِلَى الرِّيَاضِ.

٢- أَنِّثْ الْفَاعِلَ فِي كُلٍّ مِنَ الْجُمَلِ الآتِيَةِ:

Change the فَاعِلٌ in each of the following sentences to feminine:

(١) أَتَعْرِفُ اللُّغَةَ الْعَرَبِيَّةَ يَا سَيِّدِي؟   أَتَعْرِفِينَ اللُّغَةَ الْعَرَبِيَّةَ يَا سَيِّدَتِي؟

(٢) مَاذَا تَأْكُلُ يَا مُحَمَّدُ؟

(٣) أَيْنَ تَجْلِسُ فِي الْفَصْلِ يَا أَحْمَدُ؟

(٤) مَتَى تَذْهَبُ إِلَى الْمُسْتَشْفَى يَا أَبِي؟

(٥) مَاذَا تَقُولُ يَا أَخِي؟

(٦) مَتَى تَرْجِعُ مِنَ الْمَدْرَسَةِ يَا عَلِيُّ؟

(٧) إِلَى مَنْ تَكْتُبُ هَذِهِ الرِّسَالَةَ يَا بَشِيرُ؟

(٨) أَيَّ سُورَةٍ تَحْفَظُ الآنَ يَا أَخِي؟

(٩) أَتَفْهَمُ الدَّرْسَ جَيِّدًا يَا حَامِدُ؟

(١٠) مَتَى تَغْسِلُ هَذَا الْقَمِيصَ يَا يَاسِرُ؟

٣- أَنِّثِ الْفَاعِلَ فِي كُلٍّ مِنَ الْجُمَلِ الآتِيَةِ:

Change the فَاعِلٌ in each of the following sentences to feminine:

(١) أَيْنَ تَذْهَبُونَ يَا إِخْوَانُ؟   أَيْنَ تَذْهَبْنَ يَا أَخَوَاتُ؟

(٢) أَيْنَ تَسْكُنُونَ يَا رِجَالُ؟   أَيْنَ تَسْكُنَّ يَا نِسَاءُ؟

(٣) آلْقَهْوَةَ تَشْرَبُونَ أَمِ الشَّايَ يَا إِخْوَانُ؟   آلْقَهْوَةَ تَشْرَبْنَ أَمِ الشَّايَ يَا أَخَوَاتُ؟

(٤) أَتَعْرِفُونَ رَقْمَ هَاتِفِ الْجَامِعَةِ يَا إِخْوَانُ؟   أَتَعْرِفْنَ رَقْمَ هَاتِفِ الْجَامِعَةِ يَا أَخَوَاتُ؟

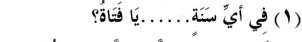

(٥) لِمَ تَضْحَكُونَ يَا أَوْلَادُ؟   لِمَ تَضْحَكُونَ يَا بَنَاتُ...؟

(٦) أَتَقْرَأُونَ الْقُرْآنَ كُلَّ صَبَاحٍ يَا إِخْوَانُ؟   أَتَقْرَأْنَ الْقُرْآنَ كُلَّ صَبَاحٍ يَا أَخَوَاتُ؟

(٧) أَتَسْأَلُونَ الْمُدَرِّسَ أَسْئِلَةً كَثِيرَةً يَا أَوْلَادُ؟   أَتَسْأَلْنَ الْمُدَرِّسَ أَسْئِلَةً كَثِيرَةً؟

(٨) أَتَسْمَعُونَ الْأَخْبَارَ مِنَ الْإِذَاعَةِ كُلَّ يَوْمٍ؟   أَتَسْمَعْنَ الْأَخْبَارَ مِنَ الْإِذَاعَةِ؟ كُلَّ يَوْمٍ

(٩) مَعَ مَنْ تَلْعَبُونَ يَا أَبْنَائِي؟   مَعَ مَنْ تَلْعَبْنَ يَا بَنَاتِي...؟

(١٠) لِمَ تَجْلِسُونَ هُنَا يَا رِجَالُ؟   لِمَ تَجْلِسْنَ هُنَا يَا نِسَاءُ...؟

٤ – حَوِّلِ الْمُبْتَدَأَ فِي كُلٍّ مِنَ الْجُمَلِ الْآتِيَةِ إِلَى جَمْعٍ:

Change the مُبْتَدَأ in each of the following sentences to plural:

(١) أَنَا أَفْهَمُ الدَّرْسَ جَيِّدًا.   نَحْنُ نَفْهَمُ الدَّرْسَ جَيِّدًا.

(٢) أَنَا لَا أَذْهَبُ إِلَى السُّوقِ كُلَّ يَوْمٍ.   نَحْنُ لَا نَذْهَبُ إِلَى السُّوقِ كُلَّ يَوْمٍ

(٣) أَنَا أَشْكُرُكَ يَا أُسْتَاذُ.   نَحْنُ نَشْكُرُكَ يَا أُسْتَاذُ.

(٤) أَنَا أَجْلِسُ أَمَامَ الْمُدَرِّسِ.   نَحْنُ نَجْلِسُ...أَمَامَ الْمُدَرِّسِ.

(٥) أَنَا الْآنَ أَكْتُبُ بَرْقِيَّةً.   نَحْنُ الْآنَ نَكْتُبُ بَرْقِيَّةً.

٥ – أَمَامَ كُلِّ جُمْلَةٍ صِيغَتَانِ لِلْفِعْلِ، اخْتَرِ الصِّيغَةَ الصَّحِيحَةَ وَأَكْمِلْ بِهَا الْجُمْلَةَ:

Two verb forms have been given along with each of the following sentences. Choose the right one and fill in the blanks with it :

(١) فِي أَيِّ سَنَةٍ..... يَا فَتَاةُ؟   (تَدْرُسُ/تَدْرُسِينَ)

(٢) أَ......اسْمَ الطَّبِيبِ الَّذِي يَسْكُنُ أَمَامَ بَيْتِنَا يَا أَحْمَدُ؟   (تَعْرِفُ/تَعْرِفِينَ)

(٣) لِمَاذَا ...... الْوَاجِبَاتِ بِالْقَلَمِ الْأَحْمَرِ يَا بَنَاتِي؟   (تَكْتُبُونَ/تَكْتُبْنَ)

(٤) أَفِي وَقْتِ الْعَمَلِ...... يَا أَبْنَائِي؟   (تَلْعَبُونَ/تَلْعَبْنَ)

(٥) مَتَى.....إِلَى السُّوقِ يَا أَبِي؟   (تَذْهَبُ/تَذْهَبِينَ)

(٦) أَ......رَقْمَ هَاتِفِ الصَّيْدَلِيَّةِ يَا أُمِّي؟   (تَعْرِفُ/تَعْرِفِينَ)

(٧) أَ.......هذه الْمَجلَّة يَا أَخَوَاتُ؟ (تَقْرَأُون/تَقْرَأْنَ)

(٨) أَفِي مَهَاجِعِ الْجَامِعَة.......يَا أَخِي؟ (تَسْكُنُونَ/تَسْكُنَّ)

(٩) نَحْنُ لاَ.......كُرَةَ القَدَمِ فِي الشَّوَارِعِ. (أَلْعَبُ/نَلْعَبُ)

(١٠) أَيْنَ تَدْرُسُ أَنْتَ؟ ....بِالْجَامِعَةِ الإِسْلاَمِيَّةِ. (أَدْرُسُ/نَدْرُسُ)

٦- تَأَمَّلْ الأَمْثِلَةَ الآتِيَةَ: Read the following examples:

(أ) سَمِعْتُ أَنَّهَا أَحْسَنُ طَبِيبَةٍ فِي الْمُسْتَشْفَى.

(ب) يَقُولُونَ إِنَّهَا أَحْسَنُ طَبِيبَةٍ فِي الْمُسْتَشْفَى.

(ج) إِنَّ القُرْآنَ كِتَابُ اللهِ.

(فِي أَوَّلِ الْجُمْلَةِ = إِنَّ . بَعْدَ قَال = إِنَّ. بَعْدَ الأَفْعَالِ الأُخْرَى= أَنَّ).

٧- اِقْرَأْ الْجُمَلَ الآتِيَةَ مَعَ ضَبْطِ هَمْزَةِ (انَّ):

Vocalize the هَمْزَة of انَّ in the following sentences:

(١) أَظُنُّ انَّهُ طَالِبٌ جَدِيدٌ.

(٢) قَالَ الْمُدَرِّسُ انَّ الطَّالِبَ الْجَدِيدَ مُجْتَهِدٌ جِدًّا.

(٣) سَمِعْتُ انَّ الْمُدَرِّسَ مَا جَاءَ الْيَوْمَ.

(٤) انَّ اللهَ رَبِّي.

(٥) قَالَ زَمِيلِي انَّ الْمُدَرِّسَ مَا جَاءَ الْيَوْمَ.

(٦) أَشْهَدُ انَّ مُحَمَّدًا رَسُولُ اللهِ.

(٧) قَرَأْتُ فِي الصَّحِيفَةِ انَّ وَزِيرَ الْخَارِجِيَّةِ سَيَرْجِعُ مِنْ لَنْدَنَ غَدًا.

(٨) أَظُنُّ انَّكَ مِنْ بَاكِسْتَانَ.

(٩) قَالَ لِي طَبِيبٌ انَّكَ لَسْتَ بِمَرِيضٍ.

(١٠) أَظُنُّ انَّ الطَّبِيبَاتِ اللاَّتِي خَرَجْنَ مِنَ الْمُسْتَشْفَى الآنَ مِنَ الوِلاَيَاتِ الْمُتَّحِدَةِ.

(١١) أَتَعْرِفِينَ انَّ الطَّالِبَةَ الْجَدِيدَةَ الَّتي جاءَتْ قَبْلَ ثَلاثَةِ أَيَّامٍ تَعرِفُ خَمْسَ لُغَاتٍ؟

(١٢) انَّ الدَّرْسَ سَهْلٌ.

(١٣) يَقُولُونَ انَّ الامْتِحَانَ سَيَكُونُ فِي الأُسْبُوعِ الأَوَّلِ مِن شَهْرِ رَجَبٍ.

(١٤) أَتَظُنُّ انَّني ضَعِيفٌ؟

٨- هَذِهِ أَسْمَاءُ أَيَّامِ الأُسْبُوعِ:

Learn the names of the days of the week:

يَوْمُ السَّبْتِ	يَوْمُ الأَحَدِ	يَوْمُ الاثْنَيْنِ	يَوْمُ الثُّلاثَاءِ
يَوْمُ الأَرْبَعَاءِ	يَوْمُ الْخَمِيسِ	يَوْمُ الجُمُعَةِ	

الكَلِمَاتُ الْجَدِيدَةُ:

New words:

دَوَاءٌ (ج أَدْوِيَةٌ)	وَاجِبَاتٌ	جَارٌ (ج جِيرَانٌ)
تِلْمِيذٌ (ج تَلامِذَةٌ)	تِلْمِيذَةٌ (ج تِلْمِيذَاتٌ)	رَقْمٌ (ج أَرْقَامٌ)
هَاتِفٌ (ج هَوَاتِفُ)	عَمَلٌ (ج أَعْمَالٌ)	وَقْتٌ (ج أَوْقَاتٌ)
وَزِيرُ الْخَارِجِيَّةِ	شَهِدَ (يَشْهَدُ)	ضَحِكَ (يَضْحَكُ)

POINTS TO REMEMBER

In this lesson, we learn the following:

1) *Isnâd* of the *muḏâri'* to some more pronouns:

(a) We have learnt that تَـذْهَبُ (you go) is for masculine singular. Now we learn تَذْهَبِيْنَ (**ta**-dhhab-**îna**) for feminine singular, e.g.:

أَيْنَ تَذْهَبُ يا بلالُ؟ 'Where are you going, Bilâl?'

أَيْنَ تَذْهَبِيْنَ يا آمنةُ؟ 'Where are you going, Âminah?'

(b) We have learnt تَذْهَبُونَ (you go) for masculine plural. Now we learn تَـذْهَبْنَ (**ta**-dhhab-**na**) for feminine plural. Here is another example:

أتفهمُونَ الإنْكليزيَّةَ يا إخْوانُ؟ 'Do you understand English, brothers?'

أَتَفْهَمْنَ الفرَنْسيَّةَ يا أَخَوَاتُ؟ 'Do you understand French, sisters?'

(c) We have learnt that أَذْهَبُ means 'I go'. Now we learn that نَذْهَبُ (**na**-dhhab-**u**) means 'we go'. Here are some more examples:

مَاذَا تَكْتُبُونَ يا إخْوانُ؟ 'What are you writing, brothers?'

نَكْتُبُ رَسائِلَ. 'We are writing letters.'

مَاذَا تَكْتُبْنَ يا أَخَوَاتُ؟ 'What are you writing, sisters?'

نَكْتُبُ الوَاجِبَات. 'We are writing the homework.'

2) رَجَعَ بلالٌ يَوْمَ السَّبْتِ 'Bilâl returned on Saturday.' Note that يَوْمَ is *manṣûb*.

That is because it is *maf'ûl fîhi* (adverb), i.e. a noun denoting the time of the action. Here are some more examples:

ذَهَبْتُ إِلَى السُّوق صَباحًا. 'I went to the market in the morning.'

رَجَعْتُ مِنَ الْجَامعَة مَسَاءً. 'I returned from the university in the evening.'

أَذْهَبُ إِلَى الْمَكْتَبَة كُلَّ يَوْمٍ. 'I go to the library every day.'

سَأَذْهَبُ إِلَى الطَّائف يَوْمَ الْخَميس. 'I'll go to Taif on Thursday.'

أَيْنَ تَذْهَبُ هذَا الْمَسَاءَ؟ 'Where will you go this evening?'

3) As we have seen in Book 3, إِنَّ is used after قال and أَنَّ after other verbs, e.g.:

قَالَ إِنِّي عَبْدُ الله . 'He said, "I am the servant of Allah."'

قَالَ الْمُدَرِّسُ: إِنَّ الامْتِحَانَ غَدًا. 'The teacher said, "the examination is tomorrow."'

سَمِعْتُ أَنَّ الامْتِحَانَ غَدًا. 'I heard that the examination is tomorrow.'

أَظُنُّ أَنَّ الامْتِحَانَ غَدًا. 'I think that the examination is tomorrow.'

VOCABULARY

دَوَاءٌ	medicine	جَارٌ	neighbour
تِلْمِيذٌ	pupil	رَقْمٌ	number
هَاتِفٌ	telephone	وَقْتٌ	time
وَزِيرُ الْخَارِجِيَّة	foreign minister	شَهِدَ يَشْهَدُ	(i-a) to bear witness
وَاجِبَاتٌ	homework	ضَحِكَ يَضْحَكُ	(i-a) to laugh
عَمَلٌ	work		

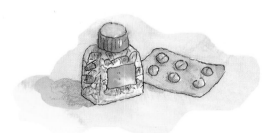

الدَّرْسُ الثَّالِثُ

LESSON 3

		الْمُفْرَدُ	الْجَمْعُ
الغائب	الْمُذَكَّرُ	حَامِدٌ يَذْهَبُ	حَامِدٌ وَعَلِيٌّ وَهَاشِمٌ يَذْهَبُونَ
	الْمُؤَنَّثُ	آمِنَةُ تَذْهَبُ	آمِنَةُ وَمَرْيَمُ وَ زَيْنَبُ يَذْهَبْنَ
المخاطب	الْمُذَكَّرُ	أَنْتَ تَذْهَبُ	أَنْتُمْ تَذْهَبُونَ
	الْمُؤَنَّثُ	أَنْتِ تَذْهَبِيْنَ	أَنْتُنَّ تَذْهَبْنَ
المتكلم	الْمُذَكَّرُ الْمُؤَنَّثُ	أَنَا أَذْهَبُ	نَحْنُ نَذْهَبُ

EXERCISES تَـمَارِينُ

١- أَكْمِلِ الْجُمَلَ الآتِيَةَ بِوَضْعِ الْفِعْلِ «ذَهَبَ» فِي الْمُضَارِعِ بَعْدَ إِسْنَادِهِ إِلَى الضَّمِيرِ الْمُنَاسِبِ:

Fill in the blanks with the verb ذَهَبَ in the مُضَارِعٌ with *isnâd* to the suitable pronouns:

(١) فِي أَيِّ سَاعَةٍ تذهبين إِلَى الْجَامِعَةِ يَا عَائِشَةُ؟

(٢) الطُّلاَّبُ يذهبون إِلَى الْمَلْعَبِ بَعْدَ الدَّرْسِ.

(٣) أَنَا أذهب إِلَى السُّوقِ يَوْمَ الْجُمُعَةِ فَقَطْ.

(٤) مَتَى تذهبون لِزِيَارَةِ الْمُدِيرِ يَا إِخْوَانُ؟

(٥) أُمِّي .... إلى الْمُسْتَشْفَى كُلَّ يَوْمٍ لِأَنَّهَا مَرِيضَةٌ.

(٦) أَ......... إلى الْمَكْتَبَةِ كُلَّ مَسَاءٍ يَا بَنَاتِي؟

(٧) لِمَ لا .... إلى الْمَطَارِ مَعَنَا يَا عَبَّاسُ؟

(٨) نَحْنُ .... إلى الْجَامِعَةِ بِسَيَّارَةِ الْأُجْرَةِ.

(٩) أَبِي .... إلى الْمَصْنَعِ فِي السَّاعَةِ الْعَاشِرَةِ.

(١٠) أَخَوَاتِي .... إلى الْمَدْرَسَةِ بِالْحَافِلَةِ.

٢- أَكْمِلِ الْجُمَلَ الآتِيَةَ بِوَضْعِ فِعْلٍ «مُضَارِعٍ» مُنَاسِبٍ فِي الْفَرَاغِ:

Fill in the blanks with suitable verbs in the مُضَارِع:

(١) أَ .... اللُّغَةَ الْعَرَبِيَّةَ يَا سَيِّدِي؟

(٢) نَحْنُ .... كُرَةَ الْقَدَمِ كُلَّ مَسَاءٍ.

(٣) أَفِي مَهَاجِعِ الْجَامِعَةِ .... يَا إِخْوَانُ؟

(٤) التُّجَّارُ .... دَكَاكِينَهُمْ فِي السَّاعَةِ التَّاسِعَةِ.

(٥) .... الْمُدَرِّسُ الدَّرْسَ عَلَى السَّبُّورَةِ.

(٦) أَخَوَاتُ حَمْزَةَ .... بِالْجَامِعَةِ.

(٧) أَنَا .... الْقُرْآنَ كُلَّ صَبَاحٍ.

(٨) فِي أَيِّ مَحَطَّةٍ .... يَا سَيِّدِي؟

(٩) أُخْتِي .... ثَلاثَةَ لُغَاتٍ.

(١٠) مِنْ أَيِّ إِذَاعَةٍ .... الْأَخْبَارَ يَا فَتَيَاتُ؟

Correct the following sentences: ٣- صَحِّحِ الْجُمَلَ الآتِيَةَ:

(١) يَا مَرْيَمُ، أَتَعْرِفُ رَقْمَ هَاتِفِ الْمُدِيرَةِ؟ ....

(٢) يَدْخُلُونَ الطُّلاَّبُ الْفَصْلَ قَبْلَ دُخُولِ الْمُدَرِّسِ ....

(٣) الطَّبِيبَاتُ يَخْرُجُونَ مِنَ الْمُسْتَشْفَى فِي السَّاعَةِ الْوَاحِدَةِ ....

24

(٤) يَجْلِسْنَ الطَّالِبَاتُ الْجُدُدُ فِي الصَّفِّ الأَخِيرِ ....

(٥) أَيْنَ تَذْهَبْنَ يَا إِخْوَانُ؟ ....تذهبون.............................

(٦) أُخْتِي يَدْرُسُ فِي الْمَدْرَسَةِ الثَّانَوِيَّةِ....تدرس.........................

(٧) مَاذَا تَكْتُبُونَ يَا بَنَاتِي؟ ....تكتبين.............................

(٨) مَاذَا تَأْكُلِينَ يَا عَبَّاسُ؟ ....تأكل.............................

(٩) نَحْنُ أَشْرَبُ الْقَهْوَةَ كُلَّ صَبَاحٍ....نشرب.........................

(١٠) سَتَرجِعُ أَبِي مِنَ الرِّيَاضِ فِي الأُسْبُوعِ الْقَادِمِ ....سيرجع.................

٤– تَأَمَّلْ مَايَلي: Read and remember:

يَذْهَبُ (ي = حَرْفُ الْمُضَارَعَةِ + ذهب + ضَمِيرٌ مُسْتَتِرٌ).

يَذْهَبُونَ (ي = حَرْفُ الْمُضَارَعَةِ + ذهب + و= فاعل + ن = عَلامَةُ الرَّفْعِ).

تَذْهَبُ (ت = حَرْفُ الْمُضَارَعَةِ + ذهب + ضَمِيرٌ مُسْتَتِرٌ).

يَذْهَبْنَ (ي = حَرْفُ الْمُضَارَعَةِ + ذهب + ن = فاعل).

تَذْهَبُ (ت = حَرْفُ الْمُضَارَعَةِ + ذهب + ضَمِيرٌ مُسْتَتِرٌ).

تَذْهَبُونَ (ت = حَرْفُ الْمُضَارَعَةِ + ذهب + و= فاعل + ن= عَلامَةُ الرَّفْعِ).

تَذْهَبِينَ (ت = حَرْفُ الْمُضَارَعَةِ + ذهب + ي = فاعل + ن = عَلامَةُ الرَّفْعِ).

تَذهَبْنَ (ت = حَرْفُ الْمُضَارَعَةِ + ذهب + ن = فاعل)

أَذْهَبُ (أ = حَرْفُ الْمُضَارَعَةِ + ذهب + ضَمِيرٌ مُسْتَتِرٌ).

نَذْهَبُ (ن = حَرْفُ الْمُضَارَعَةِ + ذهب + ضَمِيرٌ مُسْتَتِرٌ).

الكَلِمَاتُ الْجَدِيدَةُ: New words:

سَيَّارَةُ الأُجْرَةِ   صَفٌّ (ج صُفُوفٌ)   أَخِيرٌ

This is a revision lesson explaining the *isnâd* of the *mudâri'* to all the pronouns except the pronouns of the dual.

الدَّرْسُ الرَّابِعُ

LESSON 4

الْمُدَرِّس : مَنْ بِالْبابِ؟

طَالِبٌ : أَنَا طَالِبٌ جَدِيدٌ.

الْمُدَرِّس : أُدْخُلْ... مَا اسْمُكَ؟

الطَّالِبُ : اِسْمِي هُمَايُونُ.

الْمُدَرِّس : هُمَايُونُ؟ كَيْفَ تَكْتُبُ هَذَا الاِسْمَ؟ أُكْتُبْهُ عَلَى هَذِهِ الوَرَقَةِ.

الطَّالِبُ : يَا أُسْتَاذُ، هَهُنَا عَقْرَبٌ.

الْمُدَرِّس : أَعَقْرَبٌ فِي الْفَصْلِ! أَيْنَ هِيَ؟

الطَّالِبُ : اُنْظُرْ هُنَا يَا أُسْتَاذُ. هِيَ تَحْتَ مَكْتَبِ هِشَامٍ.

الْمُدَرِّس : اُقْتُلُوهَا يَا إِخْوَانُ.

الطَّالِبُ : بِمَ نَقْتُلُهَا؟

الْمُدَرِّس : اُقْتُلْهَا بِحِذَائِكَ يَا هِشَامُ ... أَمَاتَتْ؟

هِشَامُ : نَعَمْ. مَاتَتْ.

الْمُدَرِّس : اجْلِسُوا يَا أَبْنَائِي ... اقْرَأِ الدَّرْسَ يَا عَلِيُّ.

عَلِيٌّ : أَعُوذُ بِاللَّهِ مِنَ الشَّيْطَانِ الرَّجِيمِ. بِسْمِ اللَّهِ الرَّحْمنِ الرَّحِيمِ. ﴿اقْرَأْ بِاسْمِ رَبِّكَ الَّذِى خَلَقَ. خَلَقَ الإِنْسَانَ مِنْ عَلَقٍ...﴾ يَا أُسْتَاذُ، حَفِظْتُ هَذِهِ السُّورَةَ. أَيَّ سُورَةٍ أَحْفَظُ بَعْدَهَا؟

الْمُدَرِّسُ : احْفَظْ سُورَةَ التِّينِ...خُذْ دَفْتَرَكَ هَذَا وَاكْتُبْ فِيهِ سُورَةَ الْعَلَقِ. يَا أَبَا بَكْرٍ، إِنَّكَ نَعْسَانُ. اذْهَبْ إِلَى الْحَمَّامِ وَاغْسِلْ وَجْهَكَ...اِفْتَحِ النَّوَافِذَ يَا عَبْدَ الله فَإِنَّ الْغُرْفَةَ مُظْلِمَةٌ وَالْجَوَّ حَارٌّ.

EXERCISES تَــمارِينُ

Answer the following questions: ١- أَجِبْ عَنِ الأَسْئِلَةِ الآتِيَةِ:

(١) مَا اسْمُ الطَّالِبِ الْجَدِيدِ؟

(٢) أَيْنَ كَانَتْ الْعَقْرَبُ؟

(٣) مَنِ الَّذِي قَتَلَهَا؟

(٤) بِمَ قَتَلَهَا؟

(٥) أَيَّ سُورَةٍ حَفِظَ عَلِيٌّ؟

Correct the following sentences: ٢- صَحِّحْ مَا يَلِي:

(١) قَالَ الْمُدَرِّسُ لِعَلِيٍّ: اُقْتُلِ العَقْرَبَ.

(٢) قَالَ الْمُدَرِّسُ لِهِشَامٍ: افْتَحْ النَّوَافِذَ.

(٣) قَالَ الْمُدَرِّسُ لِهُمَايُونَ: اذْهَبْ إِلَى الْحَمَّامِ وَاغْسِلْ يَدَيْكَ.

(٤) قَالَ الْمُدَرِّسُ لِعَلِيٍّ: احْفَظْ سُورَةَ النَّبَأِ.

(أَبُوبَكْرٍ: لِأَبِي بَكْرٍ).

Read and remember: ٣- اِقْرَأْ مَا يَلِي:

(أ) أَنْتَ تَكْتُبُ ← تَكْتُبْ ← كْتُبْ ← اُكْتُبْ

(ـُ ← ـُ)

أَنْتَ تَدْخُلُ ← تَدْخُلْ ← دْخُلْ ← اُدْخُلْ

(١) اُخْرُجْ مِن الفَصْلِ يا بَشِيرُ.

(٢) اُكْتُبْ دَرْسَكَ يَا عَلِيُّ.

(٣) اُسْجُدْ لِلَّهِ.

(٤) اُنْظُرْ إِلَى ذَاكَ الْجَبَلِ.

(٥) اُقْتُلْ هَذِهِ الْحَيَّةَ يَا عَمِّي.

(٦) اُدْخُلْ يَا حَامِدُ.

(٧) اُشْكُرْ رَبَّكَ.

(٨) اُسْكُتْ يَا وَلَدُ.

(٩) اُكْنُسْ هَذِهِ الْغُرْفَةَ.

(ب) أنتَ تَجْلِسُ ← تَجْلِسْ ← جْلِسْ ← اِجْلِسْ

(ـِ ← ـِ)

أنتَ تَغْسِلُ ← تَغْسِلْ ← غْسِلْ ← اِغْسِلْ

(١) اِجْلِسْ هُنَا يَا بِلَالُ. (٢) اِغْسِلْ وَجْهَك بِالصَّابُون.

(٣) اِرْجِعْ بَعْدَ سَاعَةٍ. (٤) اِنْزِلْ مِنَ السَّيَّارَةِ يَا أَخِي.

(٥) قَالَ اللَّهُ تَعَالَى لِمُوسَى عَلَيْهِ السَّلَامُ: ﴿اِضْرِبْ بِعَصَاكَ الْحَجَرَ﴾.

(ج) أَنْتَ تَذْهَبُ ← تَذْهَبْ ← ذْهَبْ ← اِذْهَبْ

(ـَ ← ـِ)

أنت تَفْتَحُ ← تَفْتَحْ ← فْتَحْ ← اِفْتَحْ

(١) اِفْتَحْ كِتَابَكَ يَا إِبْرَاهِيمُ. (٢) اِحْفَظْ دَرْسَكَ.

(٣) اِقْرَأْ هَذَا الدَّرْسَ. (٤) اِذْهَبْ إِلَى الْمَسْجِدِ.

(٥) اِرْكَبْ دَرَّاجَتَكَ. (٦) اِلْعَبْ مَعَ أُخْتِكَ يَا إِسْمَاعِيلُ.

(٧) اِشْرَبْ مَاءً بَارِدًا. (٨) اِرْفَعْ رَأْسَكَ.

(٩) قَالَ الله تَعالى في القرآن: ﴿اِقْرَأْ بِاسْمِ رَبِّكَ الَّذِي خَلَقَ﴾.

(١٠) قَالَ اللهُ تَعَالَى لِمُوسَى عَلَيْهِ السَّلَامُ: ﴿اِذْهَبْ إلى فِرْعَوْنَ﴾. وَقَالَ: ﴿اِذْهَبْ أَنْتَ وَأَخُوكَ﴾.

(١١) اِرْفَعْ صَوتَك.

أَنْتَ تَأْكُلُ ← كُلْ

أَنْتَ تَأْخُذُ ← خُذْ

٤- صُغِ الأَمْرَ مِنَ الأَفْعَالِ الآتِيَةِ:

Form the أمر of the following verbs:

الأَمْرُ	المُضَارِعُ	المَاضِي	الأَمْرُ	المُضَارِعُ	المَاضِي
أُسمِع	يَسْمَعُ	سَمِعَ	اقتل	يَقْتُلُ	قَتَلَ
أُرفِع	يَرْفَعُ	رَفَعَ	اذهب	يَذْهَبُ	ذَهَبَ
أُدرِس	يَدْرُسُ	دَرَسَ	اجلس	يَجْلِسُ	جَلَسَ
اعلم	يَعْلَمُ	عَلِمَ	افهم	يَفْهَمُ	فَهِمَ
أُشرب	يَشْرَبُ	شَرِبَ	احفظ	يَحْفَظُ	حفظ
أُحلق	يَحْلِقُ	حَلَقَ	اسجد	يَسْجُدُ	سجَدَ
أُكسِر	يَكْسِرُ	كَسَرَ	اركع	يَرْكَعُ	رَكَعَ
أُغسِل	يَغْسِلُ	غَسَلَ	اشكر	يَشْكُرُ	شَكَرَ
أُفتح	يَفْتَحُ	فَتَحَ	اطبخ	يَطْبُخُ	طَبَخَ
أُضرب	يَضْرِبُ	ضَرَبَ	اقطع	يَقْطَعُ	قَطَعَ
أُكتب	يَكْتُبُ	كَتَبَ	اجمع	يَجْمَعُ	جَمَعَ
أُنزِل	يَنْزِلُ	نَزَلَ	اعبد	يَعْبُدُ	عَبَدَ
أُعرف	يَعْرِفُ	عَرَفَ	امنع	يَمْنَعُ	مَنَعَ
أُكل	يَأْكُلُ	أَكَلَ	اضحك	يَضْحَكُ	ضَحِكَ
أُفعل	يَفْعَلُ	فَعَلَ	اركب	يَرْكَبُ	رَكِبَ
			أُخذ	يَأْخُذُ	أَخَذَ

[هَمْزَةُ الأَمْرِ هَمْزَةُ وَصْلٍ فَلاَ تُكْتَبُ فَوْقَهَا أَوْ تَحْتَهَا عَلاَمَةُ الْهَمْزَةِ (ء)]

Read and remember:

٥- تَأَمَّلْ مَا يَلِي:

اُكْتُبْ الدَّرْسَ.   اِقْرَأْ الْقُرْآنَ.   اشْرَبْ الْقَهْوَةَ.   الْعَبْ الآنَ.

اُكْتُبْ: يَاحَامِدُ اكْتُبْ.   اجْلِسْ: أُدْخُلْ وَاجْلِسْ.   اِفْهَمْ: قَالَ لِي أَبِي افْهَمْ.

٦- اِقْرَأْ مَا يَلِي مُرَاعِيًا قَوَاعِدَ نُطْقِ هَمْزَةِ الْوَصْلِ، وَقَوَاعِدَ نُطْقِ الْحَرْفِ السَّاكِنِ عِنْدَمَا يَلِيهِ «ال»:

Read the following sentences bearing in mind the rule about

اِلْتِقَاءُ السَّاكِنَيْنِ:

(١)   كُلْ وَاشْرَبْ.

(٢)   اِقْرَأْ الدَّرْسَ وَافْهَمْهُ.

(٣)   اِقْرَأْ وَاكْتُبْ.

(٤)   أُخْرُجْ وَالْعَبْ.

(٥)   اذْهَبْ الآنَ وَارْجِعْ بَعْدَ ثُلُثِ سَاعَةٍ.

(٦)   اِفْتَحِ الْمِذْيَاعَ وَاسْمَعْ الْأَخْبَارَ.

(٧)   خُذْ هَذِهِ الْحَقِيبَةَ وَافْتَحْهَا.

(٨)   اذْهَبْ إِلَى الْمُدِيرِ وَاسْأَلْهُ.

(٩)   خُذْ الْكُوبَ وَاغْسِلْهُ.

(١٠)   قَالَ اللهُ تَعَالَى لِيَحْيَى عَلَيْهِ السَّلَامُ: ﴿يَا يَحْيَى خُذِ الْكِتَابَ بِقُوَّةٍ﴾.

(١١)   وَقَالَ تَعَالَى لِآدَمَ عَلَيْهِ السَّلَامُ: ﴿يَا آدَمُ اسْكُنْ أَنْتَ وَزَوْجُكَ الْجَنَّةَ﴾.

٧- اِقْــرَأْ مَــا يَلِي:

Read and remember:

يَا حَامِدُ اذْهَبْ   يَا إِخْوَانُ اذْهَبُوا

يَا آمِنَةُ اذْهَبِي   يَا أَخَوَاتُ اذْهَبْنَ

(١) يَا أَيُّهَا الطُّلَّابُ ادْخُلُوا الْفَصْلَ وَاجْلِسُوا وَاكْتُبُوا الدَّرْسَ.

(٢) أُخْرُجِي يَا بِنْتُ وَالْعَبِي مَعَ أُخْتِكِ.

(٣) كُلُوا وَاشْرَبُوا.

(٤) اشْرَبْنَ الْقَهْوَةَ يَا سَيِّدَاتِي.

(٥) تَعَالَيْ يَا آمِنَةُ وَافْتَحِي النَّوَافِذَ.

(٦) اغْسِلُوا وُجُوهَكُم وأَيْدِيَكُمْ.

(٧) اُعْبُدْنَ اللهَ وَاسْجُدْنَ لَهُ.

(٨) الْعَبُوا بَعْدَ الدَّرْسِ.

(٩) خُذِي كِتَابَكِ يَا سُعَادُ.

(١٠) قَالَ اللهُ تَعَالَى فِي سُورَةِ الْبَقَرَةِ: ﴿يَا أَيُّهَا النَّاسُ اعْبُدُوا رَبَّكُمُ الَّذِى خَلَقَكُمْ وَالَّذِينَ مِنْ قَبْلِكُمْ ...﴾.

(١١) وَقَالَ فِي سُورَةِ الْحَجِّ: ﴿يَا أَيُّهَا الَّذِينَ آمَنُوا ارْكَعُوا وَاسْجُدُوا وَاعْبُدُوا رَبَّكُمْ وَافْعَلُوا الْخَيْرَ﴾.

٨- ضَعْ فِي الْفَرَاغِ فِيمَا يَلِي فِعْلَ أَمْرٍ مُنَاسِباً:

Fill in the blanks with suitable verbs in the أَمْر:

(١) ..اقرأ.. الْقُرْآنَ يَا مَرْيَمُ.

(٢) يَا أَوْلَادُ ..كلوا.. الْخُبْزَ ..واشربوا.. وَالْقَهْوَةَ.

(٣) أُخْرُج...مِنَ الْفَصْلِ يَا مُوسَى.

(٤) اغْسِلْنَ...وُجُوهَكُنَّ وَأَيْدِيَكُنَّ بِالصَّابُونِ.

(٥) احْلِقْ...رَأْسَكَ بِالْمُوسَى.

(٦) اقْتُلْ...هَذِه الْعَقْرَبَ يَا أَبِي.

(٧) قَالَ خَالِدٌ لِزَمِيلِهِ زَكَرِيَّا: مَا مَعْنَى هَذِه الْكَلِمَةِ؟ قَالَ زَكَرِيَّا: أَنَا لَا أَدْرِي. اسْأَل...الْمُدَرِّسَ.

(٨) اقْطَعِي اللَّحْمَ بِذَاكَ السِّكِّينِ الْحَادِّ يَا خَدِيجَةُ.

(٩) اكْتُبِ.......اسْمَكَ عَلَى دَفْتَرِكَ يَا عَبْدَ الرَّحْمَنِ.

(١٠) قَالَتِ الْمُدَرِّسَةُ لِلطَّالِبَاتِ: اذْهَبْنَ...الْآنَ إِلَى الْمَكْتَبَةِ وَ اقْرَأْنَ...الصُّحُفَ وَالْمَجَلَّاتِ، ثُمَّ ارْجِعْنَ..إِلَى الْفَصْلِ بَعْدَ نِصْفِ سَاعَةٍ.

(١١) يَا عَمَّارُ، مِنْدِيلُكَ وَسِخٌ جِدًّا، فَ...........ــهُ.

أَقْسَامُ الْفِعْلِ ثَلَاثَةٌ: مَاضٍ وَمُضَارِعٌ وَأَمْرٌ، نَحْوَ: ذَهَبَ. يَذْهَبُ. اذْهَبْ.

New words: الْكَلِمَاتُ الْجَدِيدَةُ:

عَقْرَبٌ

يَدٌ (ج أَيْدٍ/الأَيْدِي)

مُوسَى

زَوْجٌ (لِلْمُذَكَّرِ وَالْمُؤَنَّثِ)

كُوبٌ (ج أَكْوَابٌ)

جَنَّةٌ (ج جَنَّاتٌ)

عَلَقٌ

طَبَخَ (يَطْبُخُ)

نَظَرَ (يَنْظُرُ)

كَنَسَ (يَكْنُسُ)

جَمَعَ (يَجْمَعُ)

قَطَعَ (يَقْطَعُ)

نَعْسَانُ (مُؤَنَّث: نَعْسَى)

مِذْيَاعٌ

حِذَاءٌ (ج أَحْذِيَةٌ)

جَوٌّ

مُظْلِمٌ

صَوْتٌ (أَصْوَاتٌ)

غَرِيبٌ (ج غُرَبَاءُ)

مَنَعَ (يَمْنَعُ)

عَبَدَ (يَعْبُدُ)

عَاذَ (يَعُوذُ)

حَلَقَ (يَحْلِقُ)

عَلِمَ (يَعْلَمُ)

POINTS TO REMEMBER

In this lesson, we learn the following:

1) The *amr* (the imperative): The *amr* is the form of the verb which signifies a command like 'go!' 'sit!' 'get up!'

The *amr* is formed from the *muḏâri'* of the second person by omitting the initial 'ta' and the final '-u' as explained below.

تَكْتُبُ → كْتُبْ ta-**ktub**-u → ktub

Now the resulting form commences with a *sâkin* letter, i.e. a letter not followed by a vowel. This is not permissible in Arabic. To overcome this difficulty a *hamzat al-waṣl* is prefixed to the verb. This *hamzah* takes *ḏammah* if the second radical of the *amr* has *ḏammah*, otherwise it takes *kasrah*, e.g.:

تَكْتُبُ → كْتُبْ → اُكْتُبْ ta-**ktub**-u → kt**u**b → **u**kt**u**b

تَجْلِسُ → جْلِسْ → اِجْلِسْ ta-**jlis**-u → jl**i**s → **i**jl**i**s

تَفْتَحُ → فْتَحْ → اِفْتَحْ ta-**ftah**-u → ft**a**h → **i**ft**a**h

This *hamzat al-waṣl* is pronounced only when the *amr* is not preceded by any word. If it is preceded by a word, the *hamzah* is omitted in pronunciation though it remains in writing, e.g.:

اُكْتُبْ **u**ktub

يا بِلالُ اكْتُبْ yâ Bilâl**u** ktub (not: ya Bilalu **u**ktub)

اِقْرَأْ وَاكْتُبْ iqra' w**a** ktub (not: iqra' wa **u**ktub)

اُكْتُبْ وَاقْرَأْ **u**ktub w**a** qra' (not: uktub wa **i**qra')

As we have seen, this *hamzah* is *hamzat al-waṣl*, so the sign of the hamzat *al-qaṯ'*(ء) should not be written above or below it:

اُكْتُبْ and not أُكْتُبْ

اِجْلِسْ and not إِجْلِسْ

The *amr* from تَأْكُلُ is كُلْ, and from تَأْخُذُ is خُذْ. These forms are irregular and the first radical (ء) has been omitted.

If the *amr* of the second person singular is followed by a word commencing with *hamzat al-wasl,* the last letter of the *amr* takes a *kasrah* to avoid اِلتقاءُ السَّاكِنَيْنِ, e.g.:

اشْرَبِ الْمَاءَ ishra**b**-i **l**-mâ'-a 'drink water!' (bl → bil)

افْتَحِ الْبَابَ ifta**h**-i **l**-bâb-a 'open the door!' (hl → hil)

خُذِ الْكِتَابَ khu**dh**-i **l**-kitâb-a 'take the book!' (dhl → dhil)

Here is the *isnâd* of the *amr* to the other pronouns of the second person:

أُكْتُبْ يَا مُحَمَّدُ	uktub	أُكْتُبُوا يا إِخْوَانُ	uktub-**û**
أُكْتُبِي يَا آمِنَةُ	uktub-**î**	أُكْتُبْنَ يا أَخَوَاتُ	uktub-**na**

2) أَعَقْرَبٌ فِي الفَصْلِ؟: The *mubtada'* is usually definite, but it may be indefinite with certain conditions. One of these is that the indefinite *mubtada'* should be preceded by an interrogative particle as in this example: أَعَقْرَبٌ فِي الفَـــصْلِ؟ 'a scorpion in the classroom?!' Here is another example from the Qur'an: أَإِلَهٌ مَــعَ اللهِ؟ 'Is there a god with Allâh?' (Qurán 27: 60, 61, 63, 64).

3) فَإِنَّ الغُرْفَةَ مُظْلِمَةٌ: Here فَإِنَّ means 'because'. Here are some more examples:

كُلْ هَذَا فَإِنَّكَ جَوْعَانُ. 'Eat this as you are hungry.'

اُدْخُلْ فَإِنَّ الدَّرْسَ قَدْ بَدَأَ. 'Get in for the lesson has already started.'

اِغْسِلِ القَمِيصَ فَإِنَّهُ وَسِخٌ. 'Wash the shirt for it is dirty.'

VOCABULARY

عَقْرَبٌ	scorpion
الْجَنَّةُ	the paradise
يَدٌ	hand
وَرَقَةٌ	piece of paper
تِينٌ	fig
زَوْجٌ	spouse
مِذْيَاعٌ	radio set
مُظْلِمٌ	dark
بِقُوَّةٍ	strongly, fast
سَكَتَ يَسْكُتُ	(a-u) to keep quiet
طَبَخَ يَطْبُخُ	(a-u) to cook
كَنَسَ يَكْنُسُ	(a-u) to sweep
نَظَرَ يَنْظُرُ	(a-u) to look at
عَبَدَ يَعْبُدُ	(a-u) to worship
مَنَعَ يَمْنَعُ	(a-a) to prevent

حِذَاءٌ	shoe
كُوبٌ	glass
غَرِيبٌ	stranger
مُوسًى	razor
نَعْسَانُ	sleepy
عَلَقٌ	clot of blood
جَوٌّ	weather
قُوَّةٌ	strength
جَمَعَ يَجْمَعُ	(a-a) to gather, to collect
قَطَعَ يَقْطَعُ	(a-a) to cut
عَاذَ يَعُوذُ	(a-u) to seek refuge
حَلَقَ يَحْلِقُ	(a-i) to shave
يَعْلَمُ عَلِمَ	(i-a) to know
لَا أَدْرِي	'I don't know'

الدَّرْسُ الْخَامِسُ

LESSON 5

الْمُدَرِّسُ : أَيْنَ تَذْهَبُ يَا أَبَا بَكْرٍ؟

أَبُو بَكْرٍ : أَذْهَبُ إِلَى الْمُدِيرِ.

الْمُدَرِّسُ : لاَ تَخرُجْ مِنَ الفَصْلِ الآنَ. اذْهَبْ إِلَيْهِ بَعْدَ الدَّرْسِ.

هُمايُون : يَا أُسْتَاذُ أَنَا طَالِبٌ جَدِيدٌ. أَيْنَ أَجْلِسُ؟ أَأَجْلِسُ هُنَا أَمَامَكَ؟

الْمُدَرِّسُ : لاَ، لاَ تَجْلِسْ هُنَا. هَذَا مَقْعَدُ هِشَامٍ وَهُوَ غَائِبٌ اليَوْمَ. اجْلِسْ هُنَاكَ خَلْفَ حَامِدٍ.

بَشِيرٌ : أَآخُذُ هَذِهِ الدَّفَاتِرَ يَا أُسْتَاذُ؟

الْمُدَرِّسُ : لاَ، لاَ تَأْخُذْهَا ... (يَنْظُرُ فِي دَفْتَرٍ) يَا عَبْدَ الرَّحِيمِ، لاَ تَكْتُبْ الأَجْوِبَةَ بِالْقَلَمِ الأَحْمَرِ.

الْمُدَرِّسُ هُوَ الَّذِي يَكْتُبُ بِالْقَلَمِ الأَحْمَرِ.

فَيْصَلٌ : أُنْظُرْ إِلَى هَذِهِ الْمَجَلَّةِ يَا أُسْتَاذُ. مَا أَجْمَلَهَا!

الْمُدَرِّسُ : لاَ تَقْرَأْ الْمَجَلاَّتِ فِي الْفَصْلِ يَا فَيْصَلُ.

فَيْصَلٌ : مَا أَقْرَأُ هَذِهِ الْمَجَلَّةَ الآنَ. إِنَّمَا أَنْظُرُ إِلَى الصُّوَرِ الَّتِي فِيْهَا.

حَمْزَةُ : أَأَفْتَحُ الْبَابَ يَا أُسْتَاذُ؟ يَكَادُ الْجَرَسُ يَرِنُّ.

الْمُدَرِّسُ : لاَ، لاَ تَفْتَحِ الْبَابَ الآنَ.

Correct the following sentences: ‑١ صَحِّحْ مَا يَلِي:

(١) أَبُو بَكْرٍ مَعَهُ مَجَلَّةٌ X فَيْصَل مَعَهُ مَجَلَّة .

(٢) فَيْصَلٌ طَالِبٌ جَدِيدٌ. X حمويْن طالب جديد .

(٣) بَشِيرٌ كَتَبَ الأَجْوِبَةَ بِالقَلَمِ الأَحْمَرِ X عبد الرحيم .

(٤) حَمْزَةُ غَائِبٌ اليَوْمَ. X هشام غائب اليوم .

Read and remember: ‑٢ اِقْرَأْ مَا يَلِي:

تَذْهَبُ: لاَ تَذْهَبْ.   تَكْتُبُ: لاَ تَكْتُبْ   تَشْرَبُ: لاَ تَشْرَبْ.

(١) يَا مُوسَى أَنْتَ مَرِيضٌ فَلاَ تَخْرُجْ مِنَ البَيْتِ وَلاَ تَذْهَبْ إِلَى المَدْرَسَةِ وَلاَ تَلْعَبْ فِي الشَّارِعِ.

(٢) لاَ تَجْلِسْ فِي الطَّرِيقِ.   (٣) اِفْتَحِ النَّافِذَةَ وَلاَ تَفْتَحِ البَابَ.

(٤) لاَ تَضْحَكْ فِي الفَصْلِ.   (٥) لاَ تَأْكُلْ فِي الشَّارِعِ.

(٦) لاَ تَكْذِبْ.   (٧) لاَ تَحْلِقْ لِحْيَتَكَ.

(٨) لاَ تَسْأَلِي هَذَا السُّؤَالَ.   (٩) لاَتَضْرِبْ زَمِيلَكَ.

(١٠) قَالَ إِبْرَاهِيمُ عَلَيْهِ السَّلاَمُ لِأَبِيهِ: ﴿يَاأَبَتِ لاَ تَعْبُدِ الشَّيْطَانَ﴾ كَمَا جَاءَ فِي سُورَةِ مَرْيَمَ.

‑٣ أَدْخِلْ (لاَ النَّاهِيَةَ) عَلَى الأَفْعَالِ الآتِيَةِ وَاضْبِطْ أَوَاخِرَهَا:

Rewrite the following verbs using لاَ النَّاهِيَةُ:

تَدْخُلُ لا تدخل   تَسْمَعُ لا تسمع

تَنْزِلُ لا تنزل   تَقْتُلُ لا تقتل

تَأْخُذُ X يَأْخُذُ ....   تَقْطَعُ X يَقْطَعُ ....

تَرْكَبُ X تَرْكَبْنَ ....   تَرْفَعُ X تَرْفَعْنَ ....

Read and remember: ٤- تَأَمَّلْ مَا يَلِي:

يَا اخْوَانُ لَا تَذْهَبُوا   يَا أَحْمَدُ لَا تَذْهَبْ

يَا أَخَوَاتُ لَا تَذْهَبْنَ   يَا مَرْيَمُ لَا تَذْهَبِي

٥- أَكْمِلِ الْجُمَلَ الآتِيَةَ بِوَضْعِ فِعْلٍ مُضَارِعٍ مُنَاسِبٍ مَسْبُوقٍ بِـ (لَا النَّاهِيَةِ) فِي الأَمَاكِنِ الْخَالِيَةِ:

Fill in the blanks with suitable verbs in the مُضَارِع preceded

by لَا النَّاهِيَةُ:

(١) يَا زَيْنَبُ لَا .....تَفْتَحِي.... النَّافِذَةَ.

(٢) يَا أَيُّهَا النَّاسُ لَا .....تَتْبَعُوا.... الشَّيْطَانَ.

(٣) يَا أَخَوَاتِي لَا ....تَكْنُسْنَ....غُرْفَتِي بِالْمِكْنَسَةِ الْقَدِيمَةِ.

(٤) يَا وَلَدُ لَا .....تَضْحَكْ.... فِي الْفَصْلِ.

(٥) يَا بِنْتِي لَا .....تَشْرَبِي.... مَاءً بَارِدًا.

(٦) يَا أَبْنَائِي لَا .....تَخْرُجُوا.... مِنَ الْفَصْلِ فِي أَثْنَاءِ الدَّرْسِ.

(٧) لَا .....تَنْزِلْنَ.... مِنَ الْحَافِلَةِ فِي هَذِهِ الْمَحَطَّةِ يَا سَيِّدَاتِي.

(٨) يَا بِنْتِي لَا .... اللَّحْمَ بِهَذَا السِّكِّينِ.

(٩) يَا إِخْوَانُ لَا .... إِلَى الْمَطْعَمِ قَبْلَ السَّاعَةِ الْوَاحِدَةِ.

(١٠) لَا .... عَلَى السَّبُّورَةِ يَا أَبَا بَكْرٍ.

٦– تَأَمَّلْ مَا يَلِي:

Read and remember:

لا

لاَ النَّافِيَةُ	لاَ النَّاهِيَةُ
لِمَ لاَ تَأْكُلُ يَا أَخِي؟	لاَ تَأْكُلْ هَذَا يَا أَخِي.
أَلاَ تَذْهَبُ إِلَى الْمَلْعَبِ؟	لاَ تَذْهَبْ إِلَى الْمَلْعَبِ.

٧– تَأَمَّلْ مَا يَلِي:

Read and remember:

هُوَ يَكْتُبُ	أَنْتَ تَكْتُبُ	أَنَا أَكْتُبُ
هُو يَأْكُلُ	أَنْتَ تَأْكُلُ	أنا أَأْكُلُ ← آكُلُ
هو يَأْخُذُ	أَنْتَ تَأْخُذُ	أنا أَأْخُذُ ← آخُذُ

(أَأْ ← آ)

٨– تَأَمَّلِ الْجُمَلَ الآتِيَةَ:

Read the following sentences:

(أ)

(١) فتح زَكَرِيَّا البَابَ وَكَادَ يَخرُجُ.

(٢) قَالَ عُثْمَانُ لِلْمُدِيرِ: رَفَعَ يُوسُفُ يَدَهُ وَكَادَ يَضرِبُنِي.

(٣) انْقَلَبَتْ سَيَّارَةُ حَامِد وَكَادَ يَمُوتُ.

(٤) ضَرَبَتِ الْمُدِيرَةُ سُعَادَ فَكَادَتْ تَبْكِي.

(٥) ضَرَبَ طِفْلِي نَظَّارَتِي بِالعَصَا وَكَادَ يَكْسِرُهَا.

(ب)

(١) السَّاعَةُ الآنَ الوَاحِدَةُ: يَكَادُ الْمُدِيرُ يَخرُجُ.

(٢) يَكَادُ الإِمَامُ يَركَعُ.

(٣) يَكَادُ الْجَرَسُ يرنُّ.

(٤) لِمَ ضَرَبْتَ هَذَا الوَلَدَ يَا عَلِيُّ؟ هُوَ يَكَادُ يَبْكِي.

Read and remember: ٩– تأمَّلْ مَا يَلِي:

(١) أنَا لاَ أَشْرَبُ الْقَهْوَةَ. أَنَا مَا أَشْرَبُ الْقَهْوَةَ الآنَ.

(٢) نَحْنُ لاَ نَلْعَبُ كُرَةَ القَدَمِ. نَحْنُ مَا نَلْعَبُ كُرَةَ الْقَدَمِ الآنَ.

(٣) هُوَ لاَ يَقْرَأُ الصُّحُفَ. هُوَ مَا يَقْرَأُ الصَّحِيفَةَ الآنَ.

(«مَـــا» تُخلِّصُ الْمُضَارِعَ لِلْحَالِ)

Read and remember: ١٠– تأمَّلْ مَا يَلِي:

حَامِدٌ طَوِيلٌ. مَا أَطْوَلَ حَامِدًا!

هَذِهِ السَّيَّارَةُ جَمِيلَةٌ. مَا أَجْمَلَ هَذِهِ السَّيَّارَةَ!

هُوَ طَوِيلٌ. مَا أَطْوَلَهُ!

أَنْتَ صَغِيرٌ. مَا أَصْغَرَكَ!

١١– أُكْتُبِ الْجُمَلَ الآتِيَةَ مُسْتَعْمِلاً (فِعْلَ التَّعَجُّبِ):

Rewrite the following underlined sentences by using فِعْلُ التَّعَجُّبِ:

(١) أُنْظُرْ إلَى هَؤُلاَءِ الطُّلاَّبِ الْجُدُدِ. هُمْ كَثِيرٌ. ما أكثرهم!

(٢) أُنْظُرْ إلَى هَذِهِ السَّيَّارَةِ. هِيَ جَمِيلَةٌ. ما أجملها!

(٣) هُـــوَ فَقِيرٌ. ما أفقره!

(٤) أَرَأَيْتَ ذَاكَ الْبَيْتَ. هُوَ صَغِيرٌ. ما أصغره!

New words: الكَلِمَاتُ الْجَدِيدَةُ:

مَقْعَدٌ (ج مَقَاعِدُ) يَا أَبَتِ = يَا أَبِي فِي أَثْنَاءِ

كَذَبَ (يَكْذِبُ) انْقَلَبَ (يَنْقَلِبُ) بَكَى (يَبْكِي)

POINTS TO REMEMBER

In this lesson, we learn the following:

1) How to say in Arabic, "don't go". We have learnt in the previous lesson that اِذْهَبْ means "go!" Now we learn that "don't go!" is لاَ تَـذْهَبْ. As you can see, it is the *mudâri'*, but with the omission of the *dammah* of the third radical. The particle لا used here is called لاَ النَّاهِيَة (the prohibitive لا) while the لا in لاَ أَفْهَمُ الفَرَنْسِيَّةَ "I don't understand French," is called لاَ النَّافِيَة (the negative لا). Note the following:

You go : تَذْهَبُ

You don't go : لاَ تَذْهَبُ

Don't go! : لاَ تَذْهَبْ

Here are some more examples:

Don't sit here! لاَ تَجْلِسْ هنا

Don't write with the red pen! لاَ تَكْتُبْ بالقَلَمِ الأَحْمَرِ

Don't go out of the class! لاَ تَخْرُجْ مِنَ الفَصْلِ

Don't worship the shaytân! لاَ تَعْبُدِ الشَّيْطَانَ

Note that in the last example, the third radical has *kasrah* due to الْتِقاءُ السَّاكِنَيْنِ.

Here is the *isnâd* of this verb to the other pronouns of the second person.

لاَ تَذْهَبْ يَا بِلاَلُ.	لاَ تَذْهَبُوا يَا إِخْوَانُ.
lâ tadhhab	lâ tadhhab-**û**
لاَ تَذْهَبِي يَا آمِنَةُ.	لاَ تَذْهَبْنَ يَا أَخَوَاتُ.
lâ tadhhab-**î**	lâ tadhhab-**na**

2) 'The boy almost laughed,' means that he was at the point of laughing, but did not laugh. This idea is expressed in Arabic by the verb كَادَ يَكَادُ:

كَادَ الوَلَدُ يَضْحَكُ. 'The boy almost laughed.'

كَادَ الْمُدَرِّسُ يَخْرُجُ. 'The teacher was about to leave.'

The *mudâri'* is يَكَادُ :

يَكَادُ الجَرَسُ يَرِنُّ. 'The bell is about to ring.'

يَكَادُ الإِمَامُ يَرْكَعُ. 'The *imâm* is about to perform *rukû'*.'

Note that كَادَ/يَكَادُ is followed by a noun, and then by a verb in the *mudâri'*:

كَادَ + a مَرْفُوع noun + a verb in the *mudâri'*

3) We have learnt that the negative particle used with the *mudâri'* is لَا, e.g.

لَا أَفْهَمُ الفَرَنْسِيَّةَ. 'I don't understand French.'

لَا نَذْهَبُ إِلَى الْمَلْعَبِ يَوْمَ الْجُمُعَةِ. 'We don't go to the playground on Fridays'.

If مَـا is used with the *mudâri'*, the verb refers to the present time only. Note the difference between لَا and مَا:

لَا أَشْرَبُ القَهْوَةَ. 'I don't drink coffee' i.e. as a habit, but مَا أَشْرَبُ الْقَهْوَةَ means 'I am not drinking coffee now.'

4) Note that 'I eat' is آكُلُ. It is originally أَأْكُـلُ but the combination أَأْ becomes آ. In the same way 'I take' is آخُذُ for أَأْخُذُ, and 'I command' is آمُرُ for أَأْمُرُ.

5) إِنَّمَا أَنْظُرُ إِلَى الصُّوَرِ 'I am only looking at the pictures'. إِنَّما means 'only'.

Here are some more examples:

أَنْتَ لَا تَكْتُبُ الدَّرْسَ. إِنَّمَا تَكْتُبُ رِسَالَةً. 'You are not writing the lesson. You are only writing a letter.'

إِنَّمَا الأَعْمَالُ بِالنِّـيَّاتِ. 'Actions are judged only by intention.'

إِنَّمَا الصَّدَقَاتُ لِلفُقَرَاءِ. 'Charity is only for the poor.'

VOCABULARY

مَقْعَدٌ	seat	فِي أَثْنَاءِ	during
يَا أَبَتِ	O my father!	كَذَبَ يَكْذِبُ	(a-i) to tell a lie
بَكَى يَبْكِي	(a-i) to cry, to weep	انْقَلَبَ يَنْقَلِبُ	to overturn
الطَّرِيقُ	way		

الدَّرْسُ السَّادِسُ

LESSON 6

الأَبُ : أَتُرِيدُونَ شَيْئًا مِنَ السُّوقِ يَا أَبْنَائِي؟ أَنَا الآنَ أَذْهَبُ إِلَى الْمَسْجِدِ وَسَأَذْهَبُ إِلَى السُّوقِ بَعْدَ الصَّلاَةِ.

الأَبْنَاءُ : نَعَمْ. نُرِيدُ أَشْيَاءَ كَثِيرَةً.

الأَبُ : مَاذَا تُرِيدُ يَا عُمَرُ؟

عُمَرُ : أُرِيدُ قَلَمًا.

الأَبُ : أَمَا عِنْدَكَ قَلَمٌ؟

عُمَرُ : بَلَى. عِنْدِي قَلَمٌ أَزْرَقُ. أُرِيدُ قَلَمًا أَحْمَرَ.

الأَبُ : مَاذَا تُرِيد أَنْتَ يَا عَمْرُو؟

عَمْرٌو : أُرِيدُ دَفْتَرًا.

الأَبُ : أَمَا اشْتَرَيْتُ لَكَ دَفْتَرًا فِي الأُسْبُوعِ الْمَاضِي؟

عَمْرٌو : بَلَى. وَلَكِنَّ ذَاكَ الدَّفْتَرَ وَرَقُهُ غَيْرُ مُسَطَّرٍ. أُرِيْدُ دَفْتَرًا ذَا وَرَقٍ مُسَطَّرٍ.

الأَبُ : مَاذَا تُرِيدُ أَنْتَ يَا هِشَامُ؟

هِشَامٌ : أَنَا مَا أُرِيدُ شَيْئًا الآنَ.

الأَبُ : أَيْنَ أَخُوكَ الْحُسَيْنُ؟

هِشَامٌ : هُوَ فِي الْحَمَّامِ.

الأَبُ : مَاذَا يُرِيدُ هُوَ؟

هِشَامٌ : هُوَ يُرِيدُ حَلاوَى.

الأَبُ : مَاذَا تُرِدْنَ يَا بَنَاتُ؟

عَائِشَةُ : يَا أَبَتِ، أَنْتَ اشْتَرَيْتَ لِي مِلَفًّا قَبْلَ أُسْبُوعٍ. أُرِيدُ الآنَ مِلَفًّا آخَرَ.

الأَبُ : مَاذَا تُرِيدِينَ أَنْتِ يَا حَفْصَةُ؟

حَفْصَةُ : أُرِيدُ حَقِيبَةً.

الأَبُ : أَمَا عِنْدَكِ حَقِيبَةٌ؟

حَفْصَةُ : بَلَى. عِنْدِي حَقِيبَةٌ حَمْراءُ. أُرِيْدُ حقيبةً أُخْرَى سَوْداءَ.

الأَبُ : مَاذَا تُرِيدِينَ يَا سُعَادُ؟

سُعَادُ : عِنْدِى مِسْطَرَةٌ. أُرِيدُ أُخْرَى أَكْبَرَ مِنْهَا.

الأَبُ : وَمَاذَا تُرِيدِينَ أَنْتِ يَا لَيْلَى؟

لَيْلَى : أُرِيْدُ مُصْحَفاً ذَا حَرْفٍ كَبِيرٍ.

الأَبُ : أَمَا تُرِيدِينَ شَيْئًا يَا سَلْمَى؟

سَلْمَى : بَلَى. أُرِيدُ مُعْجَمًا إِنكليْزِيًّا وَآخَرَ فِرَنْسِيًّا.

الأَبُ : أَمَا تُرِيْدُ أُمُّكِ شَيْئًا؟

سَلْمَى : مَا أَدْرِي. أَأَسْأَلُهَا؟

الأَبُ : نَعَمْ. اِسْأَلِيهَا.

سَلْمَى : (تَخْرُجُ ثُمَّ تَدْخُلُ بَعْدَ قَلِيلٍ): تَقُولُ إِنَّهَا تُرِيدُ ثَلاثَةَ أَمْتَارٍ مِنْ هَذَا القُمَاشِ. خُذْ هَذَا النَّمُوذَجَ يَا أَبَتِ.

الأَبُ : سَأَشْتَرِي لَكُمْ مَا تُرِيدُونَ إِنْ شَاءَ اللَّهُ.

تَمَارِينُ EXERCISES

١- أَجِبْ عَنِ الأَسْئِلَةِ الآتِيَةِ: Answer the following questions:

(١) مَتَى يَذْهَبُ الأَبُ إِلَى السُّوقِ؟

(٢) مَاذَا يُرِيدُ الْحُسَيْنُ؟

(٣) مَاذَا تُرِيدُ سُعادُ؟

(٤) مَنِ الَّذِي يُرِيدُ الْمِسْطَرَةَ؟

(٥) مَاذَا تُرِيدُ الأُمُّ؟

٢- صَحِّحْ مَا يَلِي: Correct the folowing sentences:

(١) يُرِيدُ عُمَرُ قَلَمًا أَزْرَقَ.

(٢) يُرِيدُ هِشَامٌ أَشْيَاءَ كَثِيرَةً.

(٣) حَفْصَةُ عِنْدَهَا حَقِيبَةٌ سَوْدَاءُ.

(٤) الْحُسَيْنُ فِي الْمَطْبَخِ.

٣- ضَعْ فِي الْفَرَاغِ فِيمَا يَلِي الفِعْلَ (يُرِيْدُ) بَعْدَ إِسْنَادِهِ إِلَى الضَّمَائِرِ الْمُنَاسِبَةِ:

Fill in the blanks with suitable forms of the verb يُرِيْدُ:

(١) مَاذَا ..تريدون.. يَا إِخْوَانُ؟

(٢) أُخْتِي ..تريد...... هَذَا الْقَلَمَ.

(٣) أَ ..تريدين.. هَذِهِ الْمَجَلَّةَ يَا لَيْلَى؟

(٤) أَصَحِيفَةً ..تريد...... أَمْ مَجَلَّةً يَا سَيِّدِي؟

(٥) أَنَا ...أريد...... أَشْيَاءَ كَثِيرَةً مِنَ السُّوقِ.

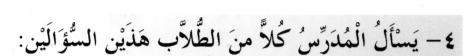

(٦) مَاذَا ....تريدن.... يا أَخَواتي؟

(٧) نَحْنُ ....نريدوا.... مُصْحَفًا صَغيرًا.

(٨) الطُّلاَّبُ ....يريدون.... دَفاتِرَهُمْ.

(٩) الْمُدَرِّسَاتُ ....يريدن.... الطَّباشير.

(١٠) الْمُديرُ ....يريد.... قائِمَةَ أَسْماءِ الطُّلاَّبِ.

٤- يَسْأَلُ الْمُدَرِّسُ كُلاًّ مِنَ الطُّلاَّبِ هَذَيْنِ السُّؤالَيْنِ:

The teacher asks every student these two questions:

(١) مَاذَا تُرِيدُ؟ (٢) مَاذَا يُرِيدُ زَمِيلُكَ؟

عَلَى مَرحلَتَينِ. فِي الْمَرْحَلَةِ الأُولَى يُحَدِّدُ الْمُدَرِّسُ جَوابَ الطَّالِبِ، وَيُتِمُّ ذَلِكَ: إِمَّا بِالإِشَارَةِ إِلَى أَشْيَاءَ وَإِمَّا بِكِتَابَةِ أَسْمَاءِ أَشْيَاءَ عَلَى السَّبُّورَةِ. وَفِي الْمَرْحَلَةِ الثَّانِيَةِ يَكُونُ الْجَوَابُ غَيْرَ مُحَدَّدٍ.

٥- ضَعْ فِي الْفَرَاغِ فِيمَا يَلِي مُؤَنَّثَ الأَسْمَاءِ الدَّالَّةِ عَلَى الأَلْوَانِ كَمَا هُوَ مُوَضَّحٌ فِي الأَمْثِلَةِ:

Fill in the blank in each of the following sentences with the feminine form of the colour word used in the sentences corresponding to it as shown in the examples:

قَلَمٌ أَحْمَرُ	حَقِيبَةٌ حَمْرَاءُ
شَعْرٌ أَسْوَدُ	لِحْيَةٌ سَوْدَاءُ
مِنْدِيلٌ أَبْيَضُ	وَرَقَةٌ بَيْضَاءُ
مِلَفٌّ أَصْفَرُ	سَيَّارَةٌ ....صفراء....
قَمِيصٌ أَخْضَرُ	شَجَرَةٌ ....خضراء....
رَجُلٌ أَسْمَرُ	امْرَأَةٌ ....سمراء....

٦- اِقْرَأْ مَا يَلِي مُتَأَمِّلاً الأَسْمَاءَ الدَّالَّةَ عَلَى الأَلْوَانِ، وَاجْعَلْ تَحْتَهَا خَطًّا:

Underline the words denoting colours in the following sentences:

(١) شَعْرُ رَأْسِي أَسْوَدُ وَلِحْيَتِي بَيْضَاءُ.

(٢) أُرِيدُ قَلَماً أَزْرَقَ وَحَقِيبَةً حَمْرَاءَ.

(٣) هُوَ أَسْمَرُ وَزَوْجَتُهُ أَيْضاً سَمْرَاءُ.

(٤) سَيَّارَةُ الْمُدِيرِ خَضْرَاءُ وَسَيَّارَةُ الْمُدَرِّسِ بَيْضَاءُ.

(٥) هَذِهِ الْبَقَرَةُ الْبَيْضَاءُ جَمِيلَةٌ.

(٦) مَا أَجْمَلَ هَذِهِ الزَّهْرَةَ الْحَمْرَاءَ!

(٧) هَاتِ وَرَقَةً بَيْضَاءَ.

(٨) لِمَنْ هَذِهِ السَّيَّارَةُ الصَّفْرَاءُ؟

(٩) أَهَذَا الدَّفْتَرُ ذُو الْغِلَافِ الأَصْفَرِ لَكِ يَا حَفْصَةُ؟

(١٠) مَا أَجْمَلَ تِلْكَ الشَّجَرَةَ الْخَضْرَاءَ الَّتِي أَمَامَ الْجَامِعَةِ!

٧- ضَعْ فِي الْفَرَاغِ فِيمَا يَلِي كَلِمَةً تَدُلُّ عَلَى «لَوْنٍ» مُنَاسِبٍ:

Fill in the blanks with suitable words denoting colours:

(١) شَعْرُ رَأْسِكَ بُنِّي..... وَلِحْيَتُكَ سوداء.....

(٢) حَقِيبَتِي حمراء.....

(٣) هَاتِ قَلَماً أصفر..... وَوَرَقَةً أبيض...

(٤) نَحْنُ نَكْتُبُ بِالْقَلَمِ الحمراء... وَالْمُدَرِّسُ يَكْتُبُ بِالْقَلَمِ الزرقاء.

(٥) سَيَّارَتِي زهراء..... وَسَيَّارَةُ زَمِيلِي أبيض...

(٦) لِمَنْ ذَلِكَ الْبَيْتُ ذُو الْبَابِ سوداء..؟

(٧) مَا أَجْمَلَ هَذِهِ الْبَقَرَةَ ....!

(٨) قَتَلَتِ الْبَلَدِيَّةُ الْكَلْبَ .... الَّذِي كَانَ فِي الشَّارِعِ.

(٩) لَا تَكْتُبْ بِالْقَلَمِ ....

(١٠) الْمِنْدِيلُ .... وَسِخٌ.

Read and remember:

٨- تَأَمَّلْ مَا يَلِي:

خَالِدٌ. حَامِدٌ. عَلِيٌّ. هِشَامٌ.

عُمَرُ. زُفَرُ. هُبَلُ. زُحَلُ.   (هُبَلُ: اِسْمُ صَنَمٍ، وَزُحَلُ: اِسْمُ كَوْكَبٍ)

Read and remember:

٩- تَأَمَّلْ مَا يَلِي:

(أ)

(١) هَذَا الطَّالِبُ اسْمُهُ عَمْرٌو.   (٢) أَيْنَ عَمْرٌو؟

(٣) ضَرَبَ عَمْرٌو عُمَرَ.   (٤) عَمْرٌو طَالِبٌ جَدِيدٌ.

(ب)

(١) أَرَأَيْتَ عَمْرًا؟   (٢) سَأَلَ الْمُدَرِّسُ عَمْرًا أَسْئِلَةً كَثِيرَةً.

(٣) ضَرَبَ عُمَرُ عَمْرًا.

(ج)

(١) هَذَا كِتَابُ عَمْرٍو.   (٢) لِمَنْ هَذَا الْقَلَمُ؟ هُوَ لِعَمْرٍو.

(٣) لَعِبْتُ مَعَ عَمْرٍو.

عَمْرٌو	عَمْرًا	عَمْرٍو
عُمَرُ	عُمَرَ	عُمَرَ

49

١٠- اِقْرَأْ مَا يَلِي: Read the following sentences:

(أ)

(١) خَرَجَ مِنَ الْفَصْلِ حَمْزَةُ وَطَالِبٌ آخَرُ.

(٢) هَذَا بَيْتُنَا وَلَنَا بَيْتٌ آخَرُ.

(٣) دَخَلَ الْمَكْتَبَةَ قَبْلَ قَلِيلٍ الْمُدِيرُ وَرَجُلٌ آخَرُ لاَ أَعْرِفُهُ.

(٤) غَابَ الْيَوْمَ بَشِيرٌ وَطَالِبٌ آخَرُ.

(٥) رَأَيْتُ فِي الْمَطَارِ مُدَرِّسَنَا وَمُدَرِّسًا آخَرَ.

(ب)

(١) سَأَحْفَظُ الْيَوْمَ سُورَةَ الرَّحْمَنِ وَسُورَةً أُخْرَى.

(٢) عِنْدِي سَاعَةٌ جَمِيلَةٌ وَسَيَشْتَرِي لِي عَمِّي سَاعَةً أُخْرَى.

(٣) غَابَتْ أَمْسِ حَفْصَةُ وَطَالِبَةٌ أُخْرَى.

(٤) هَاتِي تُفَّاحَةً أُخْرَى يَا أُمِّي.

(٥) رَأَيْتُ فِي الْمَكْتَبِ لَيْلَى وَطَالِبَةً أُخْرَى.

١١- أَكْمِلِ الْجُمَلَ الآتِيَةَ بِوَضْعِ «آخَرُ» أَوْ «أُخْرَى» فِي الْفَرَاغِ:

Fill in the blanks with آخَرُ or أُخْرَى:

(١) دَرَسْتُ اللُّغَةَ التُّرْكِيَّةَ وَلُغَةً ..أخرى......

(٢) كَتَبْتُ رِسَالَةً إِلَى أَبِي وَرِسَالَةً .أخرى..... إِلَى أُمِّي.

(٣) سَأَلَ الْمُدَرِّسُ خَالِداً وَطَالِباً ....آخر..

(٤) خَرَجَتِ الآنَ سَيَّارَةُ الْمُدِيرِ وَسَيَّارَةٌ ..أخرى.......

(٥) سَمِعْتُ هَذَا الْخَبَرَ مِنْ إِذَاعَةِ لَنْدَنَ وَمِنْ إِذَاعَةٍ أُخْرَى.......

(٦) اِشْتَرَيْتُ هَذَا الْكِتَابَ وَكِتَاباً آخَرَ ....

(٧) ضَرَبَ أُولَئِكَ الرِّجَالُ بِلَالاً وَطَالِباً آخَرَ ....

(٨) رَأَيْتُ خَدِيجَةَ وَطَالِبَةً أُخْرَى....... عِنْدَ الْمُدِيرَةِ.

(٩) خَرَجَ مِنَ الْمَسْجِدِ الآنَ الإِمَامُ وَرَجُلٌ آخَرُ.......

(١٠) غَسَلَتْ أُخْتِي الْقَمِيصَ الأَخْضَرَ وَقَمِيصاً آخَرَ ....

١٢ - تَأَمَّلْ الأَمْثِلَةَ، ثُمَّ أَكْمِلْ الْجُمَلَ الآتِيَةَ بِوَضْعِ «ذُو» أَوْ «ذَا» فِي الْفَرَاغِ:

Fill in the blanks with ذَا or ذُو:

هَذَا مُصْحَفٌ ذُو حَرْفٍ كَبِيرٍ.   عِنْدِي دَفْتَرٌ ذُو وَرَقٍ مُسَطَّرٍ.

أُرِيدُ مُصْحَفاً ذَا حَرْفٍ كَبِيرٍ.   اِشْتَرَيْتُ دَفْتَراً ذَا وَرَقٍ مُسَطَّرٍ.

(١) عِنْدِي دَفْتَرٌ ...ذُو... غِلَافٍ جَمِيلٍ.

(٢) أُرِيدُ دَفْتَراً ...ذَا... غِلَافٍ أَخْضَرَ.

(٣) رَأَيْتُ مَعَ الْمُدِيرِ رَجُلاً ...ذَا... لِحْيَةٍ بَيْضَاءَ.

(٤) أَيْنَ الطَّالِبُ الْجَدِيدُ ...ذُو... النَّظَّارَةِ الْجَمِيلَةِ؟

(٥) مَنْ هَذَا الرَّجُلُ ...ذُو... الشَّعْرِ الطَّوِيلِ؟

(٦) اِسْأَلْ ذَاكَ الرَّجُلَ ...ذَا... الْقَمِيصِ الأَصْفَرِ.

(٧) لِمَنْ ذَاكَ الْبَيْتُ ...ذُو... النَّوَافِذِ الضَّيِّقَةِ.

(٨) عِنْدِي مُعْجَمٌ ...ذُو... صُوَرٍ مُلَوَّنَةٍ.

(٩) اِشْتَرَيْتُ مُعْجَماً ...ذَا... صُوَرٍ مُلَوَّنَةٍ.

(١٠) فِي قَرْيَتِنَا مَسْجِدٌ .... مَنارةٍ واحِدةٍ.

(١١) رَأَيْتُ مَسْجِداً .... مَنارةٍ واحِدةٍ.

١٣- تَأَمَّلْ الأَمْثِلَةَ الآتِيَةَ لِـ «مَـا الْمَوْصُولَة»:

Read the following examples of مَا الْمَوصُولَةُ:

مَاذَا تَأْكُلُ يا عَلِيٌّ؟ آكُلُ مَا تَأْكُلُ. (أَيْ: الشَيْءَ الَّذِي تَأْكُلُ)

(١) مَاذَا تَشْرَبُ يَا أَبَا بَكْرٍ؟ أَشْرَبُ مَا تَشْرَبُ.

(٢) أَفْهَمُ مَا تَقُولُ.

(٣) سَأَشْتَرِي مَا تُرِيدُ.

(٤) اُكْتُبْ مَا سَمِعْتَ اليَومَ فِي الفَصْلِ.

(٥) نَسِيْتُ مَا قَالَ لِي الْمُدَرِّسُ أَمْسِ.

(٦) قَالَ اللهُ تَعَالَى فِي سُورَةِ الصَّفِّ: ﴿لِمَ تَقُولُونَ مَا لاَ تَفْعَلُونَ﴾.

(٧) وَقَالَ تَعَالَى فِي سُورَةِ الْكَافِرُونَ: ﴿قُلْ يَا أَيُّهَا الْكَافِرُوْنَ ★ لاَ أَعْبُدُ مَا تَعْبُدُونَ﴾.

(٨) وَقَالَ تَعَالَى فِي سُورَةِ آلِ عِمْرَانَ: ﴿سَنَكْتُبُ مَا قَالُوا ...﴾.

١٤- تَأَمَّلْ مَا يَلِي:

Learn the following:

(١) مَا النَّافِيَةُ: مَا عِنْدِي كِتَابٌ. مَا فَهِمْتُ الدَّرْسَ. مَا أَدْرِي.

(٢) مَا الاِسْتِفْهَامِيَّةُ: مَا هَذَا؟ مَا اسْمُكَ؟ مَاذَا تَكْتُبُ؟

(٣) مَا الْمَوْصُولَةُ: آكُلُ مَا تَأْكُلُ. سَأَشْتَرِي مَا تُرِيدُ. لِمَ تَقُولُونَ مَا لاَ تَفْعَلُونَ؟

١٥- تَأَمَّلْ مَا يَلِي: Read and remember:

مَا أُرِيدُ شَيْئًا. مَا أَكَلْتُ شَيْئًا. مَا رَأَيتُ شَيْئًا. مَا فَهِمْتُ شَيْئًا.

نَقُولُ: القُرْآنُ كِتَابُ اللهِ. قَرَأْتُ القُرْآنَ. أَحْفَظُ القرآنَ.

وَنَقُولُ: عِنْدِي ثَلاثَةُ مَصَاحِفَ. وَضَعْتُ الْمُصْحَفَ عَلَى الْمَكْتَبِ. أَقْرَأُ مِنَ الْمُصْحَفِ.

١٦- تَأَمَّلْ مَا يَلِي: Read and remember:

«غَيْرُ»: هذا الوَرَقُ مُسَطَّرٌ، وَهَذَا الْوَرَقُ غَيْرُ مُسَطَّرٍ.

هَذَا الْخَبَرُ صَحِيحٌ. وَ هَذَا الْخَبَرُ غَيْرُ صَحِيحٍ.

الكَلِمَاتُ الْجَدِيدَةُ: New words:

مُصْحَفٌ (ج مَصَاحِفُ)	حَلْوَى (ج حَلاوَى)	صَفٌّ (ج صُفُوفٌ)
قُمَاشٌ (ج أَقْمِشَةٌ)	نَمُوْذَجٌ (ج نَمَاذِجُ)	صُورَةٌ (ج صُوَرٌ)
ضَيِّقٌ	آخَرُ (الْمُؤَنَّثُ: أُخْرَى)	أَسْمَرُ (الْمُؤَنَّثُ: سَمْرَاءُ)
مُسَطَّرٌ	شَيْءٌ (ج أَشْيَاءُ)	
غَابَ (يَغِيبُ)	اِشْتَرَى (يَشْتَرِي)	

POINTS TO REMEMBER

In this lesson, we learn the following:

1) The verb يُرِيدُ 'he wants', with *isnâd* to all the pronouns, e.g.:

مَاذَا تُرِيدُ يا بِلالُ؟ 'What do you want, Bilal?'

أُرِيدُ مَاءً. 'I want water.'

مَاذَا تُرِيدُونَ يا إِخْوانُ؟ 'What do you want, brothers?'

نُرِيْدُ أَقْلامًا. 'We want pens.'

مَاذَا تُرِيدِينَ يَا لَيْلَى؟ 'What do you want, Lailâ?'

Note that the initial letters denoting the *mudâri'* ن, أ, ت, ي have *dammah*. This happens when the verb has four letters in the *mâdi*. You will learn more about this later.

The *mâdi* of the verb is أَرَادَ 'he wanted,. 'I wanted' is أَرَدْتُ, and 'you wanted' is أَرَدْتَ.

2) We have learnt the interrogative and the negative مَا, e.g.:

مَا اسْمُكَ؟ 'What is your name?'

مَا فَهِمْتُ الدَّرْسَ. 'I did not understand the lesson.'

Another kind of مَا is the relative مَا which means 'what', or 'that which', e.g.:

نَسِيتُ مَا قُلْتَ لِي. 'I forgot what you told me.'

أَشْرَبُ مَا تَشْرَبُ. 'I will drink what you drink.'

لاَ أَعْبُدُ مَا تَعْبُدُونَ. 'I don't worship what you worship.'

In Arabic this is called مَا الْمَوْصُوْلَةُ.

3) We have learnt ذُوْ. When مَنْصُوبٌ it becomes ذَا, e.g.:

فِي فَصْلِنَا طَالِبٌ ذُو شَعْرٍ طَوِيلٍ. 'In our class there is a student with long hair.'

رَأَيْتُ طَالِبًا ذَا شَعْرٍ طَوِيلٍ. 'I saw a student with long hair.'

أُرِيدُ مُصْحَفًا ذَا حَرْفٍ كَبِيرٍ. 'I want a copy of the Qur'ân with large letters.'

4) Proper nouns on the same pattern of فُعَلُ are مَمْنُوعٌ مِنَ الصَّرْفِ, e.g.:

زُحَلُ، زُفَرُ، هُبَلُ. The word هُبَلُ is the name of a pre-Islamic deity, زُحَلُ means Saturn, and زُفَرُ is a name.

This pattern of proper names is called مَعْدُولٌ.

Note the i'râb الإِعْرَابُ (declension) of this type of nouns:

خَرَجَ عُمَرُ. 'Umar went out.'

سَأَلْتُ عُمَرَ. 'I asked Umar.'

كَتَبْتُ إِلَى عُمَرَ. 'I wrote to Umar.'

5) We have learnt in Book 2 some words denoting colours, e.g. أَسْوَدُ، أَحْمَرُ، أَصْفَرُ، أَبْيَضُ. This is the masculine singular form. The feminine singular form is on the pattern of فَعْلاءُ:

أَبْيَضُ	بَيْضَاءُ
أَسْوَدُ	سَوْدَاءُ
أَحْمَرُ	حَمْرَاءُ

Both the masculine and the feminine forms are مَمْنُوعٌ مِنَ الصَّرْفِ.

Here are some examples of the feminine form:

شَعْرُ رَأْسِي أَسْوَدُ، وَلِحْيَتِي بَيْضَاءُ. 'The hair of my head is black, and my beard is white.'

هَذِه الشَّجَرَةُ خَضْرَاءُ. 'This tree is green.'

السَّمَاءُ زَرْقَاءُ. 'The sky is blue.'

There is only one plural for both the masculine and the feminine forms.

It is on the pattern of فُعْلٌ, e.g.:

الْهُنُودُ الْحُمْرُ 'the Red Indians.'

من هَؤُلَاءِ الرِّجَالُ السُّودُ، وأُولئكَ النِّسَاءُ السُّمْرُ؟ 'Who are these black men, and those brown women?'

6) The proper name عَمْرٌو is written with a *wâw* which is not pronounced. This is done to differentiate it from عُمَرُ. This *wâw* is, however, omitted in the accusative case because in this case their spellings are different.

سَأَلْتُ عَمْرًا ('Amr-**an**) is written with *alif*, while سَأَلْتُ عُمَرَ ('Umar-**a**) is written without it because it is a مَمْنُوعٌ مِنَ الصَّرْفِ, and such a noun has no *tanwîn*.

7) أَيْنَ أَخُوكَ الْحُسَيْنُ؟ 'Where is your borther Hussain?'

Here, the noun الحُسَيْنُ is called *badal* البَدَلُ. It is a substitute for أَخُوكَ. The *badal* is in the same case as the *mubdal minhu* الْمُبدَلُ مِنهُ, i.e. the noun for which it is the substitute. Here are some more examples:

بِنْتُهُ زَيْنَبُ طَبِيبَةٌ. 'His daughter, Zainab, is a doctor.'

رَأَيْتُ زَمِيلَكَ عَبَّاسًا. 'I saw your classmate, 'Abbâs.'

كَتَبْنَا إِلَى أُسْتَاذِنَا الدُّكْتُورِ بِلَالٍ. 'We wrote to our professor, Dr. Bilâl.'

8) آخَرُ means 'another'. Its feminine is أُخْرَى, e.g.:

غَابَ الْيَوْمَ إِبْرَاهِيمُ وَطَالِبٌ آخَرُ. 'Today Ibrahîm and another student were absent.'

عِنْدِي قَلَمٌ آخَرُ. 'I have another pen.'

سَأَلْتُ مُدَرِّسَنَا وَمُدَرِّسًا آخَرَ. 'I asked our teacher and another one.'

زَيْنَبُ مِنْ أَمْرِيكَا، وَفِي الفَصْلِ طَالِبَةٌ أُخْرَى مِنْ أَمْرِيكَا. 'Zainab is from America, and there is another student from America in the class.'

حَفِظْتُ سُورَةَ الرَّحْمَنِ وَسُورَةً أُخْرَى. 'I memorised sûrat al-Rahmân and another sûrah.'

Both آخَرُ and أُخْرَى are مَمْنُوعٌ مِنَ الصَّرْفِ.

56

9) The word أَشْيَاءُ is a مَمْنُوعٌ مِنَ الصَّرْفِ.

10) The difference between القُــرْآنُ and الْمُــصْحَفُ: A copy of the Qur'ân is called الْمُصْحَفُ. That is why we can say: عندي مُصْحَفَان 'I have two copies of the Qur'ân.

هَذَا مُصْحَفٌ هِنْدِيٌّ، وَذَاكَ مُصْحَفٌ مِــصْرِيٌّ. 'This is an Indian edition of the Qur'ân, and that is an Egyptian edition.'

But it is wrong to use the word قُرْآنٌ in the above contexts.

11) ما أَكَلْتُ شَيْئًا means 'I did not eat anything', or 'I ate nothing.'

Here are some more examples.

ما رَأَيْتُ شَيْئًا. 'I saw nothing.'

ما قَرَأْنَا شَيْئًا. 'We read nothing.'

12) وَرَقٌ مُسَطَّرٌ 'ruled paper' — وَرَقٌ غَيْرُ مُسَطَّرٍ 'unruled paper'

صَحِيحٌ 'correct' — غَيْرُ صَحِيحٍ 'incorrect'

مُسْلِمٌ Muslim — غَيْرُ مُسْلِمٍ non-Muslim

Note that the word غَيْرُ is *mudâf*, and so the following word is *majrûr*.

VOCABULARY

مُصْحَفٌ	copy of the Qur'ân	حَلْوَى	sweetmeat
صَفٌّ	row	قُمَاشٌ	Cloth
نَمُوذَجٌ	sample	صُورَةٌ	Picture
شَيْءٌ	thing	ضَيِّقٌ	Narrow
آخَرُ	another	أَسْمَرُ	brown
مُسَطَّرٌ	ruled	غَابَ يَغِيبُ	(a-i) to be absent
اشْتَرَى يَشْتَرِي	to buy	مَلَفٌّ	File
طَبَاشِيرُ	chalk	زَهْرَةٌ	Flower
بَلَدِيَّةٌ	municipality	زُحَلُ	Saturn

الدَّرْسُ السَّابِعُ

LESSON 7

الْمُدَرِّس : لِمَ خَرَجْتَ مِنَ الْفَصْلِ يَا عَمَّارُ؟

عَمَّارٌ : خَرَجْتُ لِأَشْرَبَ الْمَاءَ.

الْمُدَرِّس : وَلِمَ خَرَجَ يَاسِرٌ مَعَكَ؟

عَمَّارٌ : هُوَ خَرَجَ لِيَغْسِلَ وَجْهَهُ.

هُمَايُونُ : يَا أُسْتَاذُ، أَنَا أُرِيدُ أَنْ أَجْلِسَ هُنَا أَمَامَكَ. مَقْعَدِي بَعِيدٌ عَنْكَ. وَمِنْ هُنَاكَ لاَ أَرَى مَا تَكْتُبُ عَلَى السَّبُّورَةِ.

الْمُدَرِّس : يُمْكِنُكَ أَنْ تَجْلِسَ هُنَا الآنَ. هَذَا مَقْعَدُ حَمْزَةَ. وَهُوَ غَائِبٌ مُنْذُ أُسْبُوعٍ ... اِسْمَعُوا يَا أَبْنَائِي. تَبْدَأُ عُطْلَةُ الصَّيْفِ بَعْدَ شَهْرٍ. أَيْنَ تَذْهَبُونَ فِي هَذِهِ الْعُطْلَةِ؟

بَعْضُ الطُّلاَّبِ: نُرِيدُ أَنْ نَذْهَبَ إِلَى بِلاَدِنَا.

الْمُدَرِّس : أَيْنَ تُرِيدُ أَنْ تَذْهَبَ أَنْتَ يَا هَاشِمُ؟

هَاشِمٌ : أُرِيدُ أَنْ أَذْهَبَ إِلَى مِصْرَ.

الْمُدَرِّس : لِمَ تُرِيدُ أَنْ تَذْهَبَ إِلَى مِصْرَ؟

هَاشِمٌ : أُرِيدُ أَنْ أَذْهَبَ إِلَى مِصْرَ لِأَزُورَ أَخِي الَّذِي يَدْرُسُ فِي جَامِعَةِ الأَزْهَرِ.

الْمُدَرِّس : وَأَيْنَ تُرِيدُ أَنْ تَذْهَبَ أَنْتَ يَا يُوسُفُ؟

يُوسُفُ : أُرِيدُ أَنْ أَذْهَبَ إِلَى لَنْدَنَ.

الْمُدَرِّسُ : أَلاَ تُرِيدُ أَنْ تَذْهَبَ إِلَى بَلَدِكَ؟

يُوسُفُ : نَعَمْ. لاَ أُرِيدُ أَنْ أَذْهَبَ إِلَى بَلَدِي هَذِهِ السَّنَةَ. أُرِيدُ أَنْ أَذْهَبَ إِلَى لَنْدَنَ لأَدْرُسَ اللُّغَةَ الإِنْكلِيزِيَّةَ هُنَاكَ.

الْمُدَرِّسُ : أَلاَ يُمْكِنُكَ أَنْ تَدْرُسَ اللُّغَةَ الإِنْكلِيزِيَّةَ فِي بَلَدِكَ؟

يُوسُفُ : نَعَم. لاَ يُمْكِنُنِي ذَلِكَ لأَنَّ أَهْلَ بَلَدِي يَدْرُسُونَ اللُّغَةَ الفَرَنْسِيَّةَ وَلاَ يَدْرُسُونَ اللُّغَةَ الإِنْكلِيزِيَّةَ.

الْمُدَرِّسُ : فِي أَيِّ كُلِّيَّةٍ تُرِيدُ أَنْ تَدْرُسَ فِي الْعَامِ الْمُقْبِلِ يَا مَرْوَانُ؟

مَرْوَانُ : أُرِيدُ أَنْ أَدْرُسَ فِي كُلِّيَّةِ الشَّرِيعَةِ.

الْمُدَرِّسُ : فِي أَيِّ كُلِّيَّةٍ تُرِيدُ أَنْ تَدْرُسَ أَنْتَ يَا مُوسَى؟

مُوسَى : لاَ يُمْكِنُنِي أَنْ أَدْرُسَ بِالْجَامِعَةِ فِي الْعَامِ الْمُقْبِلِ، ذَلِكَ لأَنَّنِي مَرِيضٌ وَأُرِيدُ أَنْ أَذْهَبَ إِلَى الوِلاَيَاتِ الْمُتَّحِدَةِ لِلْعِلاَجِ.

الْمُدَرِّسُ : شَفَاكَ اللهُ.

عَمْرٌو : يَا أُسْتَاذُ، يَكَادُ الْجَرَسُ يَرِنُّ. أَرْجُو أَنْ تَسْمَحَ لَنَا بِالْخُرُوجِ الآنَ قَبْلَ أَنْ يَخْرُجَ الطُّلاَّبُ الآخَرُونَ.

الْمُدَرِّسُ : بَقِيَ ثَلاَثُ دَقَائِقَ. يُمْكِنُكُمُ الْخُرُوجُ الآنَ. اُخْرُجُوا بِهُدُوءٍ.

EXERCISES تَمَارِينُ

Answer the following questions: **١- أَجِبْ عَنِ الأَسْئِلَةِ الآتِيَةِ:**

(١) لِمَاذَا خَرَجَ عَمَّارٌ وَيَاسِرٌ مِنَ الْفَصْلِ؟

(٢) أَيْنَ يُرِيدُ هَاشِمٌ أَنْ يَذْهَبَ فِي عُطْلَةِ الصَّيْفِ؟

(٣) لِمَاذَا يُرِيدُ يُوسُفُ أَنْ يَذْهَبَ إِلَى لَنْدَنَ؟

(٤) فِي أَيِّ كُلِّيَّةٍ يُرِيدُ مَرْوَانُ أَنْ يَدْرُسَ؟ كلية الشريعة

٢– اقْرَأْ مَا قَالَهُ هُمَايُونُ لِلْمُدَرِّسِ، ثُمَّ امْلَأْ الفَرَاغَاتِ فِيمَا يَلِي عَلَى ضَوْءِ ذَلِكَ:

Read what Humayun says to the teacher and fill in the blanks:

يُرِيدُ هُمَايُون أَنْ .يجلس.. أَمَامَ .المدرس... لأَنَّ ....بَعِيدٌ

عَنـــ.ـه........وَلاَ ..أرى..... مَا .يكتب.... الْمُدَرِّسُ عَلَى السَّبُّورَةِ.

٣– يَسْأَلُ الْمُدَرِّسُ كُلاًّ مِنَ الطُّلاَّبِ هَذَا السُّؤَالَ:

The teacher asks each student this question:

أَيْنَ تُرِيدُ أَنْ تَذْهَبَ فِي عُطْلَةِ الصَّيْفِ؟ أنا أريد أن أذهب إلى نيو يورك

٤– يَسْأَلُ الْمُدَرِّسُ كُلاًّ مِنَ الطُّلاَّبِ هَذَا السُّؤَالَ:

The teacher asks each student this question:

فِي أَيِّ كُلِّيَّةٍ تُرِيدُ أَنْ تَدْرُسَ؟

٥– يَسْأَلُ الْمُدَرِّسُ كُلاًّ مِنَ الطُّلاَّبِ هَذَا السُّؤَالَ:

The teacher asks each student this question, and the student replies saying ......خَرَجْتُ لِـــ, and completes it with one of the reasons given below which should be written on the writing-board:

لِمَاذَا خَرَجْتَ مِنَ الْفَصْلِ؟

فَيَقُولُ (خَرَجْتُ لِـــ..........) مُخْتَارًا مِنَ الأَسْبَابِ الآتِيَة (وَتُكْتَبُ هَذِهِ عَلَى السَّبُّورَةِ):

أَشْرَبُ الْمَاءَ. أَدْخُلُ الْمِرْحَاضَ. أَغْسِلُ وَجْهِي. أَذْهَبُ إِلَى الْمُدِيرِ. آخُذُ دَفْتَرِي مِنْ زَمِيلِي. أَقْرَأُ الإِعْلاَنَ. أَعْرِفُ سَبَبَ الضَّوْضَاءِ. أَجْلِسُ فِي الشَّمْسِ. أَبْصُقُ. أَبْحَثُ عَنْ مِفْتَاحِي. أَسْأَلُ مُدَرِّسَ الفِقْهِ سُؤَالاً.

(يُنَبِّهُ الْمُدَرِّسُ الطُّلاَّبَ لِوُجُوبِ نَصْبِ الْفِعْلِ بَعْدَ لاَمِ التَّعْلِيلِ)

٦- اِقْرَأْ مَا يَلِي: Read and remember:

(١) أُرِيدُ أَنْ أَذْهَبَ إِلَى الْمُسْتَوْصَفِ.

(٢) نَسِيتُ أَنْ أَقُولَ لَكَ شَيْئاً.

(٣) أُرِيدُ أَنْ أَحْفَظَ الْقُرْآنَ الْكَرِيمَ.

(٤) نَسِيتُ أَنْ أَكْتُبَ الدَّرْسَ.

(٥) أُرِيدُ أَنْ أَدْرُسَ اللُّغَةَ الْعَرَبِيَّةَ لأَنَّهَا لُغَةُ الْقُرْآنِ الْكَرِيمِ.

(٦) نُرِيدُ أَنْ نَسْأَلَكَ سُؤَالاً يَا أُسْتَاذُ.

(٧) أَتُرِيدُ أَنْ تَقُولَ لِي شَيْئًا؟

(٨) يُرِيدُ أَخِي أَنْ يَدْرُسَ بِالْجَامِعَةِ الإِسْلَامِيَّةِ.

(٩) نَسِيتُ أَنْ أَكْتُبَ الْعُنْوَانَ عَلَى الظَّرْفِ.

٧- أَجِبْ عَنِ الأَسْئِلَةِ الآتِيَةِ مُسْتَعْمِلاً (أَنْ): Answer the following questions by using أَنْ:

(١) أَيْنَ تُرِيدُ أَنْ تَذْهَبَ فِي عُطْلَةِ الصَّيْفِ؟ أريد أن أذهب إلى نيو يورك

(٢) لِمَ تُرِيدُ أَنْ تَدْرُسَ اللُّغَةَ الْعَرَبِيَّةَ؟ أريد أن أدرس اللغة العربية لانها لغة القرآن الكريم

(٣) مَعَ مَنْ تُرِيْدُ أَنْ تَلْعَبَ؟ أريد أن تلعب مع أبي ودانيا.

(٤) مِنْ أَيِّ إِذَاعَةٍ تُرِيدُ أَنْ تَسْمَعَ الأَخْبَارَ؟ أريد أن تسمع الى ا

(٥) مَاذَا تُرِيدُ أَنْ تَشْرَبَ يَا أَخِي؟ ....

(٦) لِمَ تُرِيدُ أَنْ تَذْهَبَ إِلَى الطَّبِيبِ؟ ....

(٧) مَاذَا تَرِيدُ أَنْ تَأْكُلَ فِي الْعَشَاءِ؟ ....

(٨) مَاذَا نَسِيتَ؟ ....

٨- اِقْرَأْ الأَمْثِلَةَ الآتِيَةَ لـ (لامِ التَعْلِيلِ):

Read the following examples of لامُ التَّعْلِيلِ:

(١) نَدْرُسُ اللُّغَةَ الْعَرَبِيَّةَ لِنَفْهَمَ الْقُرْآنَ الْكَرِيمَ وَالْحَدِيثَ النَّبَوِيَّ الشَّرِيفَ.

(٢) قامَ الْمُدَرِّسُ لِيَكْتُبَ عَلَى السَّبُّورَةِ.

(٣) خَرَجْتُ مِنَ الفَصْلِ لِأَشْرَبَ الْماءَ.

(٤) ذَهَبَ أَبِي إِلَى جُدَّةَ لِيَشْتَرِيَ سَيَّارَةً.

(٥) خَلَقَنا اللَّهُ تَعالَى لِنَعْبُدَهُ.

(٦) دَخَلْتُ الْحَمَّامَ لِأَغْسِلَ وَجْهِي.

(٧) ذَهَبْتُ إِلَى مَكْتَبِ الْبَرِيدِ لآخُذَ البَرْقِيَّةَ الَّتِي جاءَتْنِي مِنْ أَبِي.

(٨) فَتَحْتُ النَّافِذَةَ لِيَدْخُلَ الْهَواءُ فَدَخَلَ الذُّبابُ.

(٩) يا حَمْزَةُ، أَذْهَبُ الآنَ إِلَى السُّوقِ لِأَشْتَرِيَ دَفاتِرَ وَأَقْلاماً لِي وَلَكَ وَلِسُعادَ.

٩- أَجِبْ عَنِ الأَسْئِلَةِ الآتِيَةِ مُسْتَعْمِلاً (لامَ التَّعْلِيلِ):

Answer the following questions by using لامُ التَّعْلِيلِ:

(١) لِمَ دَخَلْتُمُ الْمَطْعَمَ؟ دخلنا المطعم لنشرب ماء .... (نَشْرَبُ)

(٢) لِمَ خَرَجْتَ مِنَ الْمَدْرَسَةِ؟ .... (أَشْتَرِي)

(٣) لِمَ ذَهَبْتَ إِلَى قَرْيَتِكَ يَوْمَ الْجُمُعَةِ؟ .... (أَزُورُ)

(٤) لِمَ ذَهَبْتُنَّ إِلَى الْمَكْتَبَةِ يا أَخَواتُ؟ .... (نَقْرَأُ)

(٥) لِمَ جاءَ أَخُوكَ إِلَى الْمَدِينَةِ الْمُنَوَّرَةِ؟ .... (يَدْرُسُ)

(٦) لِمَ خَرَجَ زَمِيلُكَ مِنَ الْفَصْلِ؟ .... (يَغْسِلُ)

(٧) لِمَ خَلَقَنا اللهُ تَعالَى؟ .... (نَعْبُدُ)

(٨) لِمَ قَامَ الْمُدَرِّسُ؟.................................. (يَكْتُبُ)

(٩) لِمَ تَذْهَبُ إِلَى مَكْتَبِ الْبَرِيدِ الآنَ؟.......................... (آخُذُ)

(١٠) لِمَ تَدْرُسُونَ اللُّغَةَ الْعَرَبِيَّةَ يَا إِخْوَانُ؟........................ (نَفْهَمُ)

١٠- تَأَمَّلْ مَا يَلِي: Read and remember:

(١) لاَ يُمْكِنُكَ (لاَ يُمْكِنُ) أَنْ تَجْلِسَ هُنَا. هَذَا مَقْعَدُ عُثْمَانَ.

(٢) يُمْكِنُكَ (يُمْكِنُ) أَنْ تَخْرُجَ مِنَ الفَصْلِ الآنَ. / يُمْكِنُكَ الْخُرُوجُ مِنَ الفَصْلِ الآنَ.

(٣) أَيُمْكِنُنِي (أَيُمْكِنُ) أَنْ آخُذَ هَذِهِ الْمَجَلَّةَ إِلَى الْبَيْتِ؟

(٤) أَبِي مَرِيضٌ جِدًّا. لاَ يُمْكِنُهُ أَنْ يَذْهَبَ إِلَى الْمَصْنَعِ.

(٥) هَذَا يُمْكِنُ وَهَذَا لاَ يُمْكِنُ.

١١- تَأَمَّلِ الأَمْثِلَةَ لِـ (مُنْذُ):

Read the following examples of مُنْذُ:

(١) مَا رَأَيْتُ مُحَمَّدًا مُنْذُ يَوْمِ الْجُمُعَةِ.

(٢) هُوَ غَائِبٌ مُنْذُ أُسْبُوعٍ.

(٣) نَسْكُنُ فِي هَذَا البَيْتِ مُنْذُ سَنَةٍ.

(٤) هُوَ مَرِيضٌ مُنْذُ رُجُوعِهِ مِنْ بَلَدِهِ.

(٥) أَعْرِفُ هَذَا الشَّيْخَ مُنْذُ خَمْسِ سَنَوَاتٍ.

١٢- تَأَمَّلْ مَا يَلِي: Read and remember:

هُوَ يَرَى. أَنْتَ تَرَى. أَنَا أَرَى. نَحْنُ نَرَى.

يَضَعُ الْمُدَرِّسُ أَشْيَاءَ عَلَى مَكْتَبِهِ، أَوْ يَرْسُمُ عَلَى السَّبُّورَةِ أَشْيَاءَ وَيَسْأَلُ كُلاًّ مِنَ الطُّلاَّبِ: مَاذَا تَرَى عَلَى الْمَكْتَبِ؟ / عَلَى السَّبُّورَةِ؟ وَيُجِيبُ الطَّالِبُ وَيَقُولُ: (أَرَى قَلَمًا وَكِتَابًا وَسَاعَةً.....).

١٣- تَأَمَّلْ مَا يَلِي: Read and remember:

(١) أَرْجُو أَنْ تَسْمَحَ لِي بِالْجُلُوسِ هُنَا.

(٢) أَرْجُو أَنْ تَسْمَحَ لَهُ بِالْخُرُوجِ.

(٣) أَرْجُو أَنْ تَسْمَحَ لَنَا بِالدُّخُولِ.

(٤) أَرْجُو أَنْ تَسْمَحَ لِحَامِدٍ بِزِيَارَتِكَ.

١٤- هَذِهِ أَسْمَاءُ فُصُولِ السَّنَةِ: Names of the seasons of the year:

(١) الشِّتَاءُ. (٢) الرَّبِيعُ. (٣) الصَّيْفُ. (٤) الْخَرِيفُ.

الكَلِمَاتُ الْجَدِيدَةُ: New words:

عُطْلَةٌ	العَامُ الْمُقْبِلُ	الذُّبَابُ (ج ذِبَّانٌ)
مِصْرُ	هُدُوءٌ	إِعْلانٌ
أَهْلٌ	ظَرْفٌ (ج ظُرُوفٌ)	ضَوْضَاءُ
عَشَاءٌ	عِلاَجٌ	سَمَحَ (يَسْمَحُ)
زَارَ (يَزُوْرُ)	بَدَأَ (يَبْدَأُ)	أَمْكَنَ (يُمْكِنُ)
بَقِيَ (يَبْقَى)	بَصَقَ (يَبْصُقُ)	

POINTS TO REMEMBER

In this lesson, we learn the following:

1) How to say in Arabic '*I want to go*'. The Arabic for this is أُرِيدُ أَنْ أَذْهَبَ. It literally means 'I want that I go.' Note that أَذْهَبَ is *mansûb* (i.e. has a-ending), and this is caused by the preceding particle أَنْ. Here are some more examples:

   أَتُرِيدُ أَنْ تَأْكُلَ؟ 'Do you want to eat?'

   مَاذَا تُرِيدُ أَنْ تَشْرَبَ؟ 'What do you want to drink?'

   نُرِيدُ أَنْ نَجْلِسَ أَمَامَكَ. 'We want to sit in front of you.'

   تُرِيدُ زَيْنَبُ أَنْ تَطْبُخَ اللَّحْمَ. 'Zainab wants to cook meat.'

   يُرِيدُ الطَّبِيبُ أَنْ يَرْجِعَ إِلَى بَلَدِهِ. 'The doctor wants to return to his country.'

2) How to say in Arabic 'I study Arabic to understand the Qur'ân'. The Arabic for this is: أَدْرُسُ اللُّغَةَ العَرَبِيَّةَ لِأَفْهَمَ القُرْآنَ. Note that the *mudâri'* أَفْهَمَ is *mansûb* (i.e. has a-ending), and that is because of the preceding *lâm*. This *lâm* is called the لاَمُ التَّعْلِيلِ.

Here are some more examples:

   ذَهَبْتُ إِلَى الحَمَّامِ لأَغْسِلَ وَجْهِي. 'I went to the bathroom to wash my face.'

   فَتَحْتُ النَّافِذَةَ لِيَخْرُجَ الذُّبَابُ. 'I opened the window so that the flies may go out.'

   خَلَقَنَا اللهُ تَعَالَى لِنَعْبُدَهُ. 'Allah has created us so that we may worship him.'

3) يُمْكِنُ 'It is possible.'

   أَيُمْكِنُنِي أَنْ أَجْلِسَ هُنَا؟ 'May I sit here?' (literally, 'is it possible for me that I sit here?')

   نَعَمْ، يُمْكِنُكَ أَنْ تَجْلِسَ. 'Yes, you may sit.'

   لاَ يُمْكِنُهُ أَنْ يَخْرُجَ الآنَ. 'He cannot go out now.'

4) مُنْذُ is a preposition meaning 'since', e.g.:

مَا رَأَيْتُهُ مُنْذُ يَوْمِ السَّبْتِ. 'I have not seen him since Saturday.'

بِلالٌ غائبٌ مُنْذُ أُسْبُوعٍ. 'Bilâl is absent since one week.'

5) If the *fâ'il* is feminine, the verb should also be feminine, e.g.:

دَخَلَ مُحمدٌ. 'Muhammad entered.'

دَخَلَتْ آمنةُ. 'Aminah entered.'

يَدْرُسُ إِبْراهيمُ اللُّغةَ الأَلْمَانيَّةَ. 'Ibrahîm is studying German.'

وَتَدْرُسُ مَرْيَمُ اللغةَ الفرَنْسيَّةَ. 'And Maryam is studying French.'

If the *fâ'il* is the female of human beings or animals, the verb *should* be feminine. If it is not so, the verb *may* be feminine, e.g.:

خَرَجَت البَقَرَةُ. 'The cow went out.'

But

خَرَجَ السَّيَّارةُ or خَرَجَتْ السَّيَّارةُ. 'The car went out.'

That is why we have in the lesson:

بَقِيَ ثَلاثُ دَقائقَ. 'There are three minutes more,' and not ... بَقِيَتْ

There are other details which you will learn later إِنْ شَاءَ اللهُ

6) سَمَحَ لَهُ بالْخُرُوجِ. 'He permitted him to leave.'

اسْمَحْ لِي بالْجُلوسِ هُنَا. 'Permit me to sit here.'

لاَ أَسْمَحُ لَكَ بالدُّخُولِ. 'I don't permit you to enter.'

7) أَرْجُو 'I request.'

VOCABULARY

عُطْلَةٌ	holiday	عَشَاءٌ	supper
العامُ المُقْبِلُ	next year	عِلاجٌ	treatment
الذُّبَابُ	flies	أَرْجُو	I request
مِصْرُ	Egypt	بَصَقَ يَبْصُقُ	(a-u) to spit
إعْلانٌ	public announcement	سَمَحَ يَسْمَحُ	(a-a) to permit
أَهْلٌ	people	بَدَأَ يَبْدَأُ	(a-a) to commence
ظَرْفٌ	envelope	أَمْكَنَ يُمْكِنُ	to be able
ضَوْضَاءٌ	noise	بَقِيَ يَبْقَى	(i-a) to remain
الشِّتَاءُ	winter	الخَرِيفُ	autumn
الصَّيْفُ	summer	رَجَا يَرْجُو	(a-u) to request
الرَّبِيعُ	spring		

67

الدَّرْسُ الثَّامِنُ

LESSON 8

حَامِدٌ (لِزَوجَتِه): أَيْنَ تُرِيدِينَ أَنْ تَذْهَبِي بَعْدَ صَلاَةِ العَصْرِ؟

آمِنَةُ : أُرِيدُ أَنْ أَزُورَ جَارَتَنَا الَّتِي زَارَتْنِي أَمْسِ.

حَامِدٌ : أَيُمْكِنُكِ أَنْ تَرْجِعِي قَبْلَ صَلاَةِ الْمَغْرِبِ؟

آمِنَةُ : يُمْكِنُ إِنْ شَاءَ اللّٰهُ.

حَامِدٌ : أَرْجُو أَنْ تَغْسِلِي قَمِيصِي الأَبْيَضَ بَعْدَ رُجُوعِكِ مِن عِنْدِ الْجَارَةِ.

آمِنَةُ : سَأَغْسِلُهُ وَأَكْوِيهِ إِنْ شَاءَ اللّٰهُ.

حَامِدٌ : أَيْنَ تُرِيدُونَ أَنْ تَذْهَبُوا الآنَ يَا أَبْنَائِي؟

الأَبْنَاءُ : نَذْهَبُ الآنَ إِلَى الْمَسْجِدِ. وَبَعْدَ الصَّلاَةِ نُرِيدُ أَنْ نَذْهَبَ إِلَى السُّوقِ لِنَشْتَرِيَ أَقْلاَماً وَدَفَاتِرَ وَمَسَاطِرَ.

حَامِدٌ : أَيْنَ زُمَلاؤُكُم؟ مَاجَاءُوا اليَومَ لِزِيَارَتِكُمْ كَعَادَتِهِمْ كُلَّ أُسْبُوعٍ.

الأَبْنَاءُ : أَرَادُوا أَنْ يَذْهَبُوا الْيَوْمَ إِلَى الْمُتْحَفِ.

حَامِدٌ : يَا بَنَاتِي، أَنَا الآنَ أَذْهَبُ إِلَى الْمُسْتَشْفَى لِعِيَادَةِ سَلْمَى. أَتُرِدْنَ أَنْ تَذْهَبْنَ مَعِي؟

الْبَنَاتُ : نَعَمْ.

حَامِدٌ : مَاذَا تُرِدْنَ أَنْ تَأْخُذْنَ لَهَا؟

الْبَنَاتُ : نُرِيدُ أَنْ نَأْخُذَ مَعَنَا عُلْبَةَ الْحَلْوَى هَذِهِ، إِنَّ سَلْمَى تُحِبُّ هَذِهِ الْحَلْوَى كَثِيراً.

حَامِدٌ : أَتُرِدْنَ أَنْ تَأْخُذْنَ شَيْئًا آخَرَ؟

الْبَنَاتُ : نُرِيدُ أَنْ نَأْخُذَ هَذِهِ الْمَجَلَّةَ وَهَذَا الْكِتَابَ وَهَذِهِ الْمَلابِسَ.

حَامِدٌ : أَرْجُو أَلاَّ تَأْخُذْنَ هَذِهِ الأَشْيَاءَ كُلَّهَا، فَإِنَّ الْمُسْتَشْفَى لاَ يَسْمَحُ بِدُخُولِ أَشْيَاءَ كَثِيْرَةٍ ... أَيْنَ خَدِيجَةُ وَعَائِشَةُ وَأُمُّ كُلْثُومٍ؟ أَيُرِدْنَ أن يَذْهَبْنَ مَعَنَا؟

إِحْدَى الْبَنَاتِ: لاَ أَدْرِي أَيْنَ هُنَّ. أَظُنُّ أَنَّهُنَّ مَا رَجَعْنَ مِنَ الْمَدْرَسَةِ.

حَامِدٌ : هَيَّا بِنَا يَا بَنَاتُ.

EXERCISES تَمَارِينُ

Answer the following questions: ١- أَجِبْ عَنِ الأَسْئِلَةِ الآتِيَةِ:

(١) مَاذَا يُرِيدُ الأَبْنَاءُ أَنْ يَشْتَرُوا مِنَ السُّوقِ؟

(٢) مَاذَا تُرِيدُ البَنَاتُ أَنْ يَأْخُذْنَ لِسَلْمَى؟

٢- صَحِّحْ مَا يَلِي:
Correct the following statements:

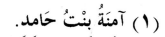

(١) آمِنَةُ بِنْتُ حَامِدٍ.

(٢) تُرِيدُ آمِنَةُ أَنْ تَزُورَ أُخْتَهَا.

(٣) قَالَ حَامِدٌ لِزَوْجَتِهِ: اغْسِلِي مِنْدِيلِي الْأَسْوَدَ.

(٤) يُرِيدُ الْأَبْنَاءُ أَنْ يَذْهَبُوا إِلَى السُّوقِ قَبْلَ الصَّلَاةِ.

(٥) أَرَادَ زُمَلَاءُ الْأَبْنَاءِ أَنْ يَذْهَبُوا إِلَى حَدِيقَةِ الْحَيَوَانَاتِ.

(٦) يُرِيدُ حَامِدٌ أَنْ يَذْهَبَ إِلَى الْمُسْتَشْفَى مَعَ زَوْجَتِهِ.

٣- يَسْأَلُ الْمُدَرِّسُ كُلًّا مِنَ الطُّلَّابِ هٰذَا السُّؤَالَ:
The teacher asks each student this question, and the student replies using one of the answers given below:

مَاذَا يُرِيدُ هٰؤُلَاءِ الطُّلَّابُ؟

وَيُجِيبُ الطَّالِبُ وَيَقُولُ: (هٰؤُلَاءِ يُرِيدُونَ أَنْ ......) مُخْتَارًا مِنَ الْجُمَلِ الْآتِيَةِ.

يَذْهَبُونَ إِلَى الْمَلْعَبِ – يَسْكُنُونَ فِي مَهَاجِعِ الْجَامِعَةِ – يَجْلِسُونَ فِي الصَّفِّ الْأَوَّلِ – يَرْجِعُونَ إِلَى الْمَهَاجِعِ بَعْدَ الْحِصَّةِ الثَّانِيَةِ – يَفْتَحُونَ النَّوَافِذَ – يَأْخُذُونَ هٰذِهِ الْمَجَلَّةَ إِلَى بُيُوتِهِمْ – يَغْسِلُونَ وُجُوهَهُمْ – يَضْرِبُونَنِي – يَقْرَأُونَ الْقُرْآنَ – يَدْخُلُونَ الْمَكْتَبَةَ – يَقُولُونَ لَكَ شَيْئًا – يَسْأَلُونَكَ سُؤَالًا – يَأْكُلُونَ – يَشْرَبُونَ القهوةَ – يَزُورُونَ الْمُدِيرَ.

٤- تَأَمَّلْ مَا يَلِي:
Read and remember:

(أ)

هُوَ يُرِيدُ أَنْ يَذْهَبَ.	هُوَ يَذْهَبُ
هِيَ تُرِيدُ أَنْ تَذْهَبَ.	هِيَ تَذْهَبُ
أَنْتَ تُرِيدُ أَنْ تَذْهَبَ.	أَنْتَ تَذْهَبُ

أَنَا أُرِيدُ أَنْ أَذْهَبَ.   أَنَا أَذْهَبُ

نَحْنُ نُرِيدُ أَنْ نَذْهَبَ.   نَحْنُ نَذْهَبُ

(ب)

هُمْ يُرِيدُونَ أَنْ يَذْهَبُوا.   هُمْ يَذْهَبُونَ

أَنْتُمْ تُرِيدُونَ أَنْ تَذْهَبُوا.   أَنْتُمْ تَذْهَبُونَ

أَنْتِ تُرِيدِينَ أَنْ تَذْهَبِي.   أَنْتِ تَذْهَبِينَ

(ج)

هُنَّ يُرِدْنَ أَنْ يَذْهَبْنَ.   هُنَّ يَذْهَبْنَ

أَنْتُنَّ تُرِدْنَ أَنْ تَذْهَبْنَ.   أَنْتُنَّ تَذْهَبْنَ

٥- ضَعْ فِي الأَمَاكِنِ الْخَالِيَةِ الْفِعْلَ «يَذْهَبُ» مُسْنَدًا إِلَى الضَّمَائِرِ الْمُنَاسِبَةِ:

Fill in the blanks with the proper forms of يَذْهَبُ:

(١) يُرِيدُ الطُّلَّابُ أَنْ .....يَذْهَبُوا. إِلَى الْمُتْحَفِ غَدًا.

(٢) يَا أُسَامَةُ، أَتُرِيدُ أَنْ .....تَذْهَبَ. إِلَى مَكْتَبِ الْبَرِيدِ لِتَأْخُذَ الْبَرْقِيَّةَ؟

(٣) أَنَا أُرِيدُ أَنْ .....أَذْهَبَ. إِلَى بَلَدِي فِي عُطْلَةِ الصَّيْفِ.

(٤) يُرِيدُ عَمِّي أَنْ .....يَذْهَبَ. إِلَى جُدَّةَ لِيَشْتَرِيَ سَيَّارَةً.

(٥) أَيْنَ تُرِدْنَ أَنْ .....تَذْهَبْنَ. بَعْدَ الدَّرْسِ يَا أَخَوَاتُ؟

(٦) نَحْنُ نُرِيدُ أَنْ .....نَذْهَبَ. إِلَى بَاكِسْتَانَ فِي الأُسْبُوعِ الْمُقْبِلِ.

(٧) أَخَوَاتِي يُرِدْنَ أَنْ .....يَذْهَبْنَ. إِلَى الْمَكْتَبَةِ هَذَا الْمَسَاءَ.

(٨) أُمِّي تُرِيدُ أَنْ .....تَذْهَبَ. إِلَى الصَّيْدَلِيَّةِ لِتَشْتَرِيَ دَوَاءً.

(٩) مَتَى تُرِيدِينَ أَنْ .....تَذْهَبِي. إِلَى الْمُسْتَشْفَى لِعِيَادَةِ الْخَالَةِ يَا أُمَّ كُلْثُومٍ؟

(١٠) يَا إِخْوَانُ أَتُرِيدُونَ أَنْ .....تَذْهَبُوا. إِلَى حَدِيقَةِ الْحَيَوَانَاتِ الْيَوْمَ؟

٦- أَكْمِلْ كُلاًّ مِنَ الْجُمَلِ الآتِيَةِ بِوَضْعِ فِعْلٍ مُضَارِعٍ مُنَاسِبٍ:

Fill in the blanks with suitable verbs in the مُضَارِع:

(١) خَرَجَ الطُّلاَّبُ مِنَ الفُصُولِ لِــ .... سَبَبَ الضَوْضَاءِ.

(٢) مِنْ أيِّ إِذَاعَةٍ تُرِيدُونَ أَنْ .... الأَخْبَارَ يَا سَادَةُ؟

(٣) يَا زَيْنَبُ، أَيُمْكِنُكِ أَنْ .... هَذَا العُنْوَانَ بِاللُّغَةِ الفَرَنْسِيَّةِ؟

(٤) خَرَجَتِ الطَّالِبَاتُ الْجُدُدُ لِــ .... إِلَى الْمُدِيرَةِ.

(٥) جَاءَ هَؤُلاَءِ الطُّلاَّبُ إِلَى الْجَامِعَةِ الإِسْلاَمِيَّةِ مِنْ بِلاَدٍ مُخْتَلِفَةٍ لِــ .... اللُّغَةَ الْعَرَبِيَّةَ وَالقُرْآنَ وَالْحَدِيثَ وَالفِقْهَ وَالتَّوحِيدَ.

(٦) أَتُرِدْنَ أَنْ .... القَهْوَةَ يَا بَنَاتُ؟

(٧) يَا أَيُّهَا الإِخْوَانُ، لاَ تَخْرُجُوا مِنَ الفَصْلِ قَبْلَ أَنْ .... الْمُدَرِّسُ، اُخْرُجُوا بَعْدَ أَنْ .... وَادْخُلُوا الفَصْلَ قَبْلَ أَنْ ....

(٨) أَنْتِ خَرَجْتِ مِنَ الفَصْلِ لِــ .... الْمَاءَ. أَلَيْسَ كَذَلِكَ؟

٧- تَأَمَّلْ مَا يَلِي:

Read and remember:

الْمُضَارِعُ الْمَرْفُوعُ	عَلاَمَةُ الرَّفْعِ	الْمُضَارِعُ الْمَنْصُوبُ	عَلاَمَةُ النَّصْبِ
يَذْهَبُ	الضَمَّةُ	يَذْهَبَ	الفَتْحَةُ
يَذْهَبُونَ	ثُبُوتُ النُونِ	يَذْهَبُوا	حَذْفُ النُّونِ
تَذْهَبُ	الضَّمَّةُ	تَذْهَبَ	الفَتْحَةُ
يَذْهَبْنَ	مَبْنِيٌّ	تَذْهَبْنَ	مَبْنِيٌّ
تَذْهَبُ	الضَّمَّةُ	تَذْهَبَ	الفَتْحَةُ
تَذْهَبُونَ	ثُبُوتُ النُّونِ	تَذْهَبُوا	حَذْفُ النُّونِ

تَذْهَبِينَ	ثبوتُ النونِ	**تَذْهَبِي**	حَذْفُ النُّونِ
تَذْهَبْنَ	مَبْنِيٌّ	**تَذْهَبْنَ**	مَبْنِيٌّ
أَذْهَبُ	الضَّمَّةُ	**أَذْهَبَ**	الفَتْحَةُ
نَذْهَبُ	الضَّمَّةُ	**نَذْهَبَ**	الفَتْحَةُ

٨– تَأمَّلْ مَا يَلِي:

Read and remember:

أَلاَّ = أَنْ لاَ. **أَرْجُو أَنْ تَدْخُلَ. / أَرْجُو أَلاَّ تَدْخُلَ.**

أَرْجُو أَنْ تَجْلِسَ هُنَا. / أَرْجُو أَلاَّ تَجْلِسَ هُنَا.

٩– «كَ» حَرْفٌ مِنْ حُرُوفِ الْجَرِّ:

Learn the use of the preposition كَ:

(١) هَذِهِ الْمَدْرَسَةُ كَالْمَسْجِدِ.

(٢) هَذِهِ القَهْوَةُ كَالْمَاءِ.

(٣) حَامِدٌ كَسْلاَنُ كَزَمِيلِهِ.

(٤) سَاعَتِي كَسَاعَتِكَ.

(٥) أَنْتَ كَأَخِي.

الكَلِمَاتُ الْجَدِيدَةُ:

New words:

عَادَةٌ (عَادَاتٌ)	مُتْحَفٌ (ج مَتَاحِفُ)	عُلْبَةٌ (ج عُلَبٌ)
مَلاَبِسُ	حَدِيقَةُ الحَيَوَانَاتِ	سَيِّدٌ (ج سَادَةٌ)

POINTS TO REMEMBER

In this lesson, we learn the following:

1) We have learnt in the previous lesson that the *mu<u>d</u>âri'* is *man<u>s</u>ûb* after أنْ and لاَمُ التَّعْلِيلِ. The following four forms of the *mu<u>d</u>âri'* have **u**-ending in the *marfû'*, and **a**-ending in the *man<u>s</u>ûb*:

   يَذْهَبُ ya-dhhab-**u** → أنْ يَذْهَبَ an ya-dhhab-**a**

   تَذْهَبُ ta-dhhab-**u** → أَنْ تَذْهَبَ an ta-dhhab-**a**

   أَذْهَبُ 'a-dhhab-**u** → أَنْ أَذْهَبَ an 'a-dhhab-**a**

   نَذْهَبُ na-dhhab-**u** → أَنْ نَذْهَبَ an na-dhhab-**a**

The forms of the *mu<u>d</u>âri'* ending in *nûn* drop the *nûn* after أَنْ, e.g.:

   تَذْهَبِينَ ta-dhhab-**îna** → أَنْ تَذْهَبِي an ta-dhhab-**î**

   تَذْهَبُونَ ta-dhhab-**ûna** → أَنْ تَذْهَبُوا an ta-dhhab-**û**

   يَذْهَبُونَ ya-dhhab-**ûna** → أَنْ يَذْهَبُوا an ya-dhhab-**û**

In these forms, the sign of the verb being *marfû'* is the presence of the *nûn*, and that of being *man<u>s</u>ûb* is the omission of this *nûn*.

Here are some more examples:

   مَاذَا تُرِيْدِينَ أَنْ تَشْرَبِي يا آمنَةُ؟ 'What do you want to drink, Âminah?'

   أَيْنَ تُرِيدُونَ أن تَذْهَبُوا يا إِخْوانُ؟ 'Where do you want to go, brothers?'

   يُرِيدُونَ أَنْ يَخرُجُوا مِنَ الفَصْلِ . 'They want to go out of the class.'

The two forms يَذْهَبْنَ and تَذْهَبْنَ remain unchanged after أَنْ, e.g.:

   أَتُرِدْنَ أَنْ تَسْمَعْنَ الأَخْبَارَ يا أَخَواتُ؟ 'Do you want to listen to the news, sisters?'

   تُرِيدُ الطالباتُ أَنْ يَجْلِسْنَ فِي الْحَدِيقَة. 'The female students want to sit in the garden.'

2) سَاعَتِي كَسَاعَتِكَ 'My watch is like yours.' The word كَ is a preposition, and the noun following it is *majrûr*. It means 'like.'

Here are some more examples:

هَذَا الْبَيْتُ كَالْمَسْجِد . 'This house is like a mosque.'

هَذِه الْقَهْوَةُ كَالْمَاء. 'The coffee is like water.'

This preposition is not used with pronouns. So we do not say أَنَا كَهُ i.e. 'I am like him.' In such case, the word مِثْل is added between the preposition and the pronoun:

أَنَا كَمِثْلِه 'I am like him', هو كَمِثْلِي 'He is like me.'

3) أَرْجُو أَنْ لا تَأْخُذْنَ هَذِه الأَشْيَاء كُلّهَا 'I request you not to take all these things.' كُـــلّ 'all' is used for emphasis. In Arabic it is called *ta'kîd*. The word كُـــلّ is connected to the *mu'akkad* (i.e. the word it emphasizes) with a pronoun:

حَضَرَ الطُّلاَّبُ كُلُّهُمْ . 'All the students attended.'

خَرَجَتْ الطَّالِبَاتُ كُلُّهُنَّ . 'All the female students went out.'

قَرَأْتُ الْكِتَابَ كُلَّهُ . 'I read the book completely.'

بَحَثْتُ عَنْهُ فِي الْمَدْرَسَةِ كُلِّهَا . 'I looked for him in the whole school'.

Note that the word كُلّ is in the same case as the *mu'akkad*.

4) The vocative particle حَرْفُ النِّدَاء is يا, e.g: يا بلالُ! يَا رَجُلُ!

When يا is used with a noun having ال, the word أَيُّهَا is inserted between يا and the noun e.g.:

يَا أَيُّهَا النَّاسُ! O people! (not يا النَّاسُ)

يَا أَيُّهَا الرَّجُلُ! O man!

5) هَيَّا بِنَا 'Come along.' It is called اِسْمُ الفِعْل i.e. it is a noun but has the force of a verb.

Here are some more examples of اِسْمُ الفِعْل:

آه I feel pain.

أُفٍّ I am bored.

آمِينَ (in pause آمِينْ) accept (my prayer).

75

6) عُلْبَةُ الْحَلْوَى هَذِهِ 'This tin of sweets.'

We have seen in Book I that هَذَا الْكِتَابُ means 'this book'. But if we want to say 'this book of history' we say كِتَابُ التَّارِيْخِ هَذَا. In this construction هـــذا comes at the end because we cannot say هَذَا الْكِتَابُ التَّارِيخِ as كِتَابُ here is *muḏâf* and so it cannot take ال.

Here are some more examples:

قَلَمُ الرَّصَاصِ هَذَا 'this pencil'.

غُرْفَةُ النَّوْمِ هَذِهِ 'this bedroom.'

سَاعَتُكَ هَذِهِ جَمِيلَةٌ. 'This watch of yours is beautiful'.

خُذْ كِتَابِي هَذَا. 'Take this book of mine'.

VOCABULARY

عَادَةٌ	habit	سَيِّدٌ	gentleman
مُتْحَفٌ	museum	عُطْلَةُ الصَّيْفِ	summer holidays
عُلْبَةٌ	packet, tin	عُنْوَانٌ	address
مَلَابِسُ	clothes	حَدِيقَةُ الْحَيَوَانَاتِ	zoo

الدَّرْسُ التَّاسِعُ

LESSON 9

عَمْرٌو : أَرْجُو أَنْ تَشْتَرِيَ لِي هَذَا الْكِتَابَ مِنَ الْهِنْدِ عِنْدَمَا تَذْهَبُ إِلَى هُنَاكَ فِي عُطْلَةِ الصَّيْفِ. إِنَّهُ بِاللُّغَةِ الأُرْدِيَّةِ، وَمَا وَجَدْتُهُ فِي الْمَكْتَبَاتِ هُنَا.

أَيُّوبُ : أَنَا آسِفٌ. إِنِّي لَنْ أَذْهَبَ إِلَى الْهِنْدِ فِي عُطْلَةِ الصَّيْفِ. أُرِيدُ أَنْ أَذْهَبَ إِلَى بَغْدَادَ لأَزُورَ خَالِي الَّذِي يَعْـمَلُ فِي سِفَارَةِ الْهِنْدِ هُنَاكَ.

عَمْرٌو : وَإِخْوَتُكَ، أَلاَ يَذْهَبُونَ إِلَى الْهِنْدِ؟

أَيُّوبُ : نَعَمْ. هُمْ أَيْضًا لَنْ يَذْهَبُوا هَذَا العَامَ. يُرِيدُونَ أَن يَبْقَوْا بِالْمَدِينَةِ الْمُنَوَّرَةِ لِيَحْفَظُوا القُرْآنَ الكَرِيمَ.

عَمْرٌو : وَأَخَوَاتُكَ؟

أَيُّوبُ : هُنَّ أَيْضًا لَنْ يَذْهَبْنَ إِلَى الْهِنْدِ فِي هَذِهِ العُطْلَةِ. يُرِدْنَ أَنْ يَذْهَبْنَ إِلَى مَكَّةَ أَوَّلاً لِيَعْتَمِرْنَ وَيَبْقَيْنَ هُنَاكَ شَهْراً عِنْدَ خَالَتِنَا. ثُمَّ سَيَذْهَبْنَ إِلَى الرِّيَاضِ لِزِيَارَةِ عَمِّنَا الَّذِي يَعْمَلُ فِي أَحَدِ الْمَصَارِفِ هُنَاكَ.

عَمْرُو : أَتَعْرِفُ أَحَدًا مِنَ الطُّلَّابِ الْهُنُودِ يَذْهَبُ إِلَى الْهِنْدِ فِي هَذِهِ الْعُطْلَةِ؟ سَمِعْتُ أَنَّ طَالِبًا هِنْدِيًّا اسْمُهُ خَالِدٌ سَيَذْهَبُ إِلَى الْهِنْدِ قَرِيبًا.

أَيُّوبُ : نَعَمْ. أَنَا أَعْرِفُهُ. هُوَ سَيَذْهَبُ فِي الْأُسْبُوعِ الْمُقْبِلِ، وَلَكِنَّهُ لَنْ يَرْجِعَ.

عَمْرُو : لِمَهْ؟

أَيُّوبُ : لِأَنَّهُ مَرِيضٌ وَسَيَبْقَى فِي الْهِنْدِ لِلْعِلَاجِ ...... أَتَعْرِفُ جَعْفَرًا؟

عَمْرُو : نَعَمْ. أَعْرِفُهُ، لَكِنَّهُ مِنْ بَاكِسْتَانَ.

أَيُّوبُ : يُمْكِنُهُ أَنْ يَشْتَرِيَ هَذَا الْكِتَابَ مِنْ بَاكِسْتَانَ فَإِنَّ الْكُتُبَ الْأُرْدِيَّةَ مَوْجُودَةٌ فِي الْهِنْدِ وَبَاكِسْتَانَ.

عَمْرُو : أَشْكُرُكَ يَا أَيُّوبُ جَزَاكَ اللَّهُ خَيْرًا. سَأَذْهَبُ إِلَيْهِ الْآنَ وَأَقُولُ لَهُ. السَّلَامُ عَلَيْكُمْ وَرَحْمَةُ اللهِ وَبَرَكَاتُهُ.

أَيُّوبُ : وَعَلَيْكُمُ السَّلَامُ وَرَحْمَةُ اللهِ وَبَرَكَاتُهُ. فِي أَمَانِ اللهِ.

| تَـمَارِينُ | EXERCISES |

Answer the following questions: ١- أَجِبْ عَنِ الْأَسْئِلَةِ الْآتِيَةِ:

(١) أَيْنَ يُرِيدُ أَيُّوبُ أَنْ يَذْهَبَ فِي عُطْلَةِ الصَّيْفِ؟

(٢) أَيْنَ يَعْمَلُ خَالُهُ؟

(٣) لِمَاذَا يُرِيدُ إِخْوَتُهُ أَنْ يَبْقَوْا بِالْمَدِينَةِ الْمُنَوَّرَةِ؟

(٤) لِمَاذَا تُرِيدُ أَخَوَاتُهُ أَنْ يَذْهَبْنَ إِلَى مَكَّةَ؟

(٥) لِزِيَارَةِ مَنْ يَذْهَبْنَ إِلَى الرِّيَاضِ؟

78

٢- صَحِّحْ مَا يَلِي:

Correct the following statements:

(١) يُرِيدُ عَمْرٌو أَنْ يَشْتَرِيَ كِتَاباً فِرَنْسِياًّ مِنَ الْهِنْدِ.

(٢) جَعْفَرٌ مِنَ الْهِنْدِ.

(٣) لَنْ يَرْجِعَ خَالِدٌ إِلَى الْجَامِعَةِ لأَنَّهُ لاَ يُرِيدُ أَنْ يَدْرُسَ.

٣- أَجِبْ عَنِ الأَسْئِلَةِ الآتِيَةِ بِالنَّفْيِ مُسْتَعْمِلاً (لَنْ):

Answer the following questions in the negative using لَنْ:

(١) أَتَذْهَبُ إِلَى بَلَدِكَ فِي عُطْلَةِ الصَّيْفِ؟ ....

(٢) أَتَذْهَبُونَ إِلَى الْمَلْعَبِ هَذَا الْمَسَاءَ يَا إِخْوَانُ؟ ....

(٣) أَيَذْهَبُ زُمَلاؤُكَ إِلَى الْمُتْحَفِ غَدًا يَا عَلِيُّ؟ ....

(٤) أَتَلْعَبُونَ كُرَةَ الْقَدَمِ هَذَا الْمَسَاءَ يَا إِخْوَانُ؟ ....

(٥) أَيَرْجِعُ الْمُدِيرُ مِنْ جُدَّةَ غَدًا يَا أُسْتَاذُ؟ ....

٤- تَأَمَّلْ أَدَوَاتِ النَّفْيِ الآتِيَةَ:

Notice the use of أَدَوَاتُ النَّفْيِ (negative particles) in the following sentences:

(أ) ذَهَبْتُ إِلَى السُّوقِ أَمْسِ.	مَا ذَهَبْتُ إِلَى السُّوقِ أَمْسِ.
(ب) أَذْهَبُ إِلَى السُّوقِ كُلَّ يَوْمٍ.	لاَ أَذْهَبُ إِلَى السُّوقِ كُلَّ يَوْمٍ.
(ج) سَأَذْهَبُ إِلَى السُّوقِ غَدًا.	لَنْ أَذْهَبَ إِلَى السُّوقِ غَدًا.

٥– اقْرَأْ الأَمْثلَة الآتِيَة: Read the following examples:

(١) لَنْ أَذْهَبَ إِلَى قَرْيَتِي فِي عُطْلَةِ الصَّيْفِ هَذَا الْعَامَ.

(٢) إِنِّي مُتْعَبٌ جِدًّا. فَلَنْ أَخْرُجَ مِنَ الْبَيتِ الْيَوْمَ.

(٣) لَن أَتْرُكَ الصَّلاةَ أَبَدًا.

(٤) قَالَ الْمُدَرِّسُ: لَنْ أَسْمَحَ لَكُم بِالدُّخُولِ بَعْدَ بَدْءِ الدَّرْسِ فِي الْمُسْتَقْبَلِ.

(٥) لَن أَحْلِقَ لِحْيَتِي أَبَدًا.

(٦) لَنْ يَرْجِعَ أَبِي مِنْ لَنْدَنَ قَبْلَ رَمَضَانَ.

(٧) لَنْ نَشْرَبَ الْخَمْرَ أَبَدًا.

(٨) قَالَ الْيَهُودُ لِمُوسَى عَلَيْهِ السَّلاَمُ: ﴿يَا مُوسَى لَنْ نَصْبِرَ عَلَى طَعَامٍ وَاحِدٍ﴾ كَمَا جَاءَ فِي سُورَةِ الْبَقَرَةِ، الآيَة ٦١.

(٩) قَالَ النَّبِيُّ صَلَّى اللهُ عَلَيْهِ وَسَلَّمَ: «مَنْ لَبِسَ الْحَرِيْرَ فِي الدُّنْيَا فَلَنْ يَلْبَسَهُ فِي الآخِرَةِ».
رَوَاهُ الْبُخَارِيُّ.

٦– أَدْخِلْ «لَنْ» عَلَى الأَفْعَالِ الآتِيَةِ وَاضْبطْ أَوَاخِرَهَا:

Add لَنْ to the following verbs and then vocalize them correctly:

يَخْرُجُ _ تَكْتُبِيْنَ _ يَشْرَبُوْنَ _ يَغْسِلْنَ _ أَدْخُلُ _ تَفْتَحْنَ _ تَأْكُلِيْنَ _ تَجْلِسُ.

New words: الكَلِمَاتُ الْجَدِيدَةُ:

آسِفٌ	سِفَارَةٌ	عَامٌ (ج أَعْوَامٌ)
هِنْدِيٌّ (ج هُنُودٌ)	خَمْرٌ (ج خُمُورٌ)	مَوْجُودٌ
مُتْعَبٌ	حَرِيرٌ	الدُّنْيَا
الآخِرَةُ	مُسْتَقْبَلٌ	بَدْءٌ
أَحَدٌ	أَبَداً	لَبِسَ (يَلْبَسُ)
صَبَرَ (يَصْبِرُ)	تَرَكَ (يَتْرُكُ)	اِعْتَمَرَ (يَعْتَمِرُ)
عُمْرَةٌ		

POINTS TO REMEMBER

In this lesson, we learn the following:

1) We have learnt the negative particle used with the *mâḏi* is مَا, and that used with the *muḏâri'* is لا, e.g.:

مَا دَرَسْتُ اللُّغَةَ الإسْبانيَّةَ. 'I did not study Spanish'.

لا أَعْرِفُ رَقْمَ هاتفه. 'I don't know his telephone number.'

Now we learn that the negative particle used with the future tense is لَـــنْ. This particle is like أَنْ, and so the *muḏâri'* following it is *manṣûb*, e.g.:

سَأَذْهَبُ إلى الرِّياضِ غدًا. 'I'll go to Riyadh tomorrow.'

لَنْ أَذْهَبَ إلى الرِّياضِ غدًا. 'I will not go to Riyadh tomorrow.'

Note that when لَنْ is used the particle of futurity (سَـــ) is omitted.

As with أَنْ, the *nûn* is omitted from تَذهَبُونَ، تَذْهَبِينَ, and يَــذْهَبُونَ when لَــنْ is used with these forms. The two forms يَذْهَبْنَ and تَذْهَبْنَ remain unchanged e.g.:

يا آمنةُ! أَلَنْ تَذْهَبي إلى الطَّائف في عُطْلَة الــصَّيْف؟ 'O Aminah, will you not go to Taif during the summer holidays?'

يا أَخَوَاتُ! أَلَنْ تَدْرُسْنَ اللُّغَةَ التُرْكيَّةَ في العَــامِ الْمُقْبَــل؟ 'O sisters, will you not study Turkish next year?'

2) لَنْ أَشْرَبَ الخَمْرَ أَبَدًا 'I will never drink wine.'

The word أَبَدًا is used to emphasise a negative verb in the future.

Here are some more examples:

لَنْ أَكْتُبَ إلَيْه أَبدًا. 'I will never write to him.'

إنَّ لُغَتَكَ صَعْبَةٌ جدًّا. لَنْ أَدْرُسَها أَبدًا. 'Your language is very difficult. I will never study it.'

To emphasise a negative verb in the past, قَطُّ is used, e.g.:

مَا رَأَيْتُهُ قَطُّ. 'I never saw him'.

VOCABULARY

عَامٌ (ج أَعْوَامٌ)	year	آسِفٌ	sorry
خَمْرٌ (ج خُمُورٌ)	wine	عُطْلَةُ الصَّيْفِ	summer
مَوْجُودٌ	present	سِفَارَةٌ	embassy
مُتْعَبٌ	tired	مَصْرِفٌ (جَ مَصَارِفُ)	bank
حَرِيرٌ	silk	هِنْدِيٌّ (ج هُنُودٌ)	Indian
الآخِرَةُ	the hereafter	الدُّنْيَا	the world
بَدْءٌ	beginning	مُسْتَقْبَلٌ	future
أَبَدًا	never	أَحَدٌ	one, anybody
تَرَكَ يَتْرُكُ	(a-u) to leave, to neglect	عُمْرَةٌ	‘Umrah (minor hajj)
اعْتَمَرَ يَعْتَمِرُ	to perform the ‘Umrah	صَبَرَ يَصْبِرُ	(a-i) to have patience
لَبِسَ يَلْبَسُ	(i-a) to wear		

الدَّرْسُ العَاشِرُ

LESSON 10

الأَبُ : كَمْ سُورَةً حَفِظْتَ يَا بَشِيرُ؟

بَشِيرٌ : حَفِظْتُ سُورَةً وَاحِدَةً.

الأَبُ : وَكَمْ سُورَةً حَفِظْتَ يَا عُمَرُ؟

عُمَرُ : أَنَا حَفِظْتُ سُورَتَيْنِ.

مُعَاوِيَةُ : يَا أَبَتِ، جَاءَ اليَوْمَ مُدَرِّسَانِ جَدِيدَانِ، أَحَدُهُمَا لِلْفِقْهِ وَالآخَرُ لِلْحَدِيثِ.

بَشِيرٌ : يَا أَبَتِ، قَرَأْتُ اليَومَ كَلِمَتَيْنِ جَدِيدَتَيْنِ فِي هَذَا الكِتَابِ.

الأَبُ : مَا هُمَا؟

بَشِيرٌ : هُمَا «الْمُشْطُ» و «الْمِخَدَّةُ».

الأَبُ : أَعَرَفْتَ مَعْنَاهُمَا؟

بَشِيرٌ : نَعَمْ، سَأَلْتُ الْمُدَرِّسَ، فَشَرَحَ لِي مَعْنَاهُمَا.

الأَبُ : أَنَا الآنَ أَذْهَبُ إِلَى السُّوقِ، أَتُرِيدُونَ شَيْئًا؟

عُمَرُ : أُرِيدُ دَفْتَراً.

مُعَاوِيَةُ : عِنْدِي دَفْتَرَانِ وَأُرِيدُ دَفْتَرَيْنِ آخَرَيْنِ.

بَشِيرٌ : عِنْدِي مِلَفَّانِ صَغِيرَانِ وَأُرِيدُ مِلَفَّيْنِ كَبِيرَيْنِ.

الأَبُ : مِنْ أَيْنَ لَكَ هَذَا الْقَلَمُ الْجَمِيلُ ذُو اللَّوْنَيْنِ يَا بَشِيرُ؟

بَشِيرٌ : اشْتَرَيْتُهُ.

الأَبُ : بِكَمْ اشْتَرَيْتَهُ؟

بَشِيرٌ : اشْتَرَيْتُهُ بِرِيَالَيْنِ.

١- أَجِبْ عَنِ الأَسْئِلَةِ الآتِيَةِ:

Answer the following questions:

(١) كَمْ سُورَةً حَفِظَ بَشِيرٌ؟ واحدة (٢) كَمْ سُورَةً حَفِظَ عُمَرُ؟

(٣) بِكَمِ اشْتَرَى بَشِيرٌ الْقَلَمَ؟ بريلين علواتين

٢- تَأَمَّلْ مَا يَلِي:

Read and remember:

الْمَجْرُورُ	الْمَنْصُوبُ	الْمَرْفُوعُ
ذَهَبْتُ إِلَى الْمُدَرِّسِ.	رَأَيْتُ الْمُدَرِّسَ.	(أ) جَاءَ الْمُدَرِّسُ.
ذَهَبْتُ إِلَى الْمُدَرِّسَيْنِ.	رَأَيْتُ الْمُدَرِّسَيْنِ.	(ب) جَاءَ الْمُدَرِّسَانِ.

٣- أَجِبْ عَنِ الأَسْئِلَةِ الآتِيَةِ مُسْتَعْمِلاً «الْمُثَنَّى»:

Answer the following questions using مُثَنَّى:

(١) كَمْ أَخًا لَكَ؟ ...عندي أخين...............

(٢) كَمْ كِتَابًا عِنْدَكَ؟ ...عندي كتابين...............

(٣) كَمْ طَالِبًا جَدِيدًا جَاءَ الْيَوْمَ؟ ...طالبين.....

(٤) كَمْ دَرْسًا بَقِيَ فِي الْكِتَابِ؟ ....

(٥) كَمْ طَالِبًا خَرَجَ مِنَ الْفَصْلِ؟ ....

(٦) كَمْ رَجُلاً مَاتَ فِي الْحَادِثِ؟ ....

٤ – أَجِبْ عَنِ الأَسْئِلَةِ الآتِيَةِ مُسْتَعْمِلاً «الْمُثَنَّى»:

Answer the following questions using مُثَنَّى:

(١) كَمْ لُغَةً تَعْرِفُ؟ ...اللغتين...

(٢) كَمْ سُورَةً حَفِظْتِ يَا مَرْيَمُ؟ ...السورتين...

(٣) كَمْ رِسَالَةً كَتَبْتَ يَا أَحْمَدُ؟ ...رسالتين...

(٤) كَمْ حَيَّةً قَتَلْتَ يَا عَمِّي؟ ...حيتين...

(٥) كَمْ دَفْتَرًا اشْتَرَيْتَ يَا أَخِي؟ ...دفترين...

(٦) كَمْ سُؤَالاً سَأَلَكَ الْمُدَرِّسُ؟ ...سؤالين...

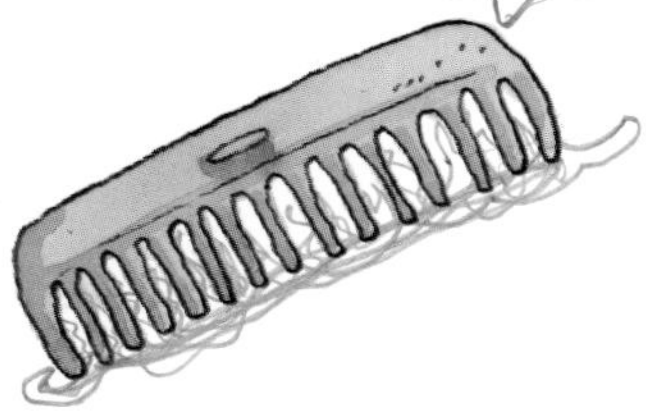

(٧) كَمْ طَائِرَةً رَأَيْتَ فِي الْمَطَارِ؟ ...طائرتين...

(٨) كَمْ مِنْدِيلاً غَسَلَتْ أُخْتُكَ؟ ...منديلين...

(٩) كَمْ مُشْطًا تُرِيدُ؟ ...مشطين...

(١٠) كَمْ مِخَدَّةً عَلَى سَرِيرِكَ؟ ...مخدتين...

٥ – أَجِبْ عَنِ الأَسْئِلَةِ الآتِيَةِ مُسْتَعْمِلاً «الْمُثَنَّى»:

Answer the following questions using مُثَنَّى:

(١) بِكَمْ رِيَالاً اشْتَرَيْتِ الْمَجَلَّةَ يَا آمِنَةُ؟ ...ريالين...

(٢) بِكَمْ دُولَارًا اشْتَرَيْتُمْ هَذِهِ الأَزْرَارَ يَا إِخْوَانُ؟ ...دولارين...

(٣) بِكَمْ رُوبِيَّةً اشْتَرَيْتُنَّ هَذَا الْمُشْطَ يَا أَخَوَاتِي؟ ...روبيتين...

(٤) بِكَمْ جُنَيْهًا اشْتَرَيْتِ هَذِهِ الْمِرْآةَ يَا أُمِّي؟ ...جنيهين...

(٥) بِكَمْ لُغَةً كَتَبْتَ الْعُنْوَانَ عَلَى الظَّرْفِ يَا عَلِيُّ؟ بِلُغَتَيْنِ ....

(٦) مِنْ كَمْ بَاباً خَرَجَ الطُّلَّابُ مِنَ الْكُلِّيَّةِ؟ بَابَيْنِ ....

(٧) إِلَى كَمْ صَيْدَلِيَّةٍ ذَهَبْتَ يَا حَامِدُ؟ صَيْدَلِيَّتَيْنِ ....

(٨) فِي كَمْ صَحِيفَةٍ قَرَأْتَ هَذَا الْخَبَرَ؟ صَحِيفَتَيْنِ ....

(٩) بِكَمْ جَامِعَةً دَرَسْتَ؟ بِجَامِعَتَيْنِ ....

(١٠) كَمْ جَامِعَةً فِي بَلَدِكُمْ؟ بِجَامِعَتَيْنِ ....

(«بِكَمْ رِيَالاً؟ بِكَمْ رِيَالٍ؟» كِلَاهُمَا صَحِيحٌ)

٦- ثَنِّ الْكَلِمَاتِ الْمَطْبُوعَةَ بِالْأَحْمَرِ:
Change the red words to dual:

(١) فِي بَيْتِنَا ثَلَّاجَةٌ. ثَلَّاجَتَيْنِ (٢) دَخَلَ بَيْتِي الْبَارِحَةَ لِصٌّ. لِصَّيْنِ

(٣) رَأَيْتُ فِي مَكْتَبِ الْبَرِيدِ بَرْقِيَّةً لَكَ. (٤) سَأَشْتَرِي مِتْراً مِنْ هَذَا الْقُمَاشِ. مِتْرَيْنِ

(٥) ذَبَحَ أَبِي دَجَاجَةً. دَجَاجَتَيْنِ (٦) أَشْرَبُ كُوباً مِنَ اللَّبَنِ كُلَّ يَوْمٍ. بَرْقِيَّتَيْنِ كُوبَيْنِ

(٧) عِنْدِي رِيَالٌ. رِيَالَيْنِ (٨) أُرِيدُ رِيَالاً. رِيَالَيْنِ

(٩) اِشْتَرَيْتُ هَذَا الزِّرَّ بِرِيَالٍ. بِرِيَالَيْنِ (١٠) أَعْرِفُ لُغَةً. لُغَتَيْنِ

(١١) فِي بَلَدِنَا لُغَةٌ وَاحِدَةٌ. لُغَتَيْنِ (١٢) هَذَا الْقَلَمُ بِدُولَارٍ. بِدُولَارَيْنِ

(١٣) كَتَبْتُ رِسَالَةً إِلَى أَبِي. رِسَالَتَيْنِ (١٤) يَكْفِينِي الْآنَ جُنَيْهٌ. جُنَيْهَيْنِ

٧- اِجْعَلْ كُلَّاً مِنَ الْكَلِمَاتِ الْآتِيَةِ فِي جُمْلَةٍ:

Use the following words in sentences:

كِتَابَانِ – كِتَابَيْنِ – طَالِبَيْنِ – طَالِبَانِ.

٨- تَأَمَّلِ الْأَمْثِلَةَ الْآتِيَةَ لِـ (أَحَدُهُمَا وَالْآخَرُ):

Notice the use of أَحَدُهُمَا وَالْآخَرُ:

(١) لِي أَخَوَانِ، أَحَدُهُمَا طَبِيبٌ وَالْآخَرُ مُهَنْدِسٌ.

(٢) لِهَذِهِ الْحَافِلَةِ بَابَانِ، أَحَدُهُمَا لِلدُّخُولِ وَالْآخَرُ لِلْخُرُوجِ.

(٣) عِنْدِي قَلَمَانِ، أَحَدُهُمَا أَزْرَقُ وَالْآخَرُ أَحْمَرُ.

(٤) عِنْدِي مُعْجَمَانِ، أَحَدُهُمَا إِنْكِلِيزِيٌّ وَالْآخَرُ فَرَنْسِيٌّ.

(٥) لَنَا بَيْتَانِ، أَحَدُهُمَا فِي الْمَدِينَةِ وَالْآخَرُ فِي الْقَرْيَةِ.

(٦) اشْتَرَيْتُ قَمِيصَيْنِ أَحَدُهُمَا لِي وَالْآخَرُ لِأَخِي الصَّغِيرِ.

٩- تَأَمَّلْ الْأَمْثِلَةَ الْآتِيَةَ لِـ (إِحْدَاهُمَا وَالْأُخْرَى):

Notice the use of إِحْدَاهُمَا وَالْأُخْرَى:

(١) لِي أُخْتَانِ، إِحْدَاهُمَا مُدَرِّسَةٌ وَالْأُخْرَى مُمَرِّضَةٌ.

(٢) عِنْدِي سَيَّارَتَانِ، إِحْدَاهُمَا حَمْرَاءُ وَالْأُخْرَى بَيْضَاءُ.

(٣) فِي قَرْيَتِنَا مَدْرَسَتَانِ، إِحْدَاهُمَا مُتَوَسِّطَةٌ وَالْأُخْرَى ثَانَوِيَّةٌ.

(٤) كَتَبْتُ الْيَوْمَ رِسَالَتَيْنِ، إِحْدَاهُمَا لِأَبِي وَالْأُخْرَى لِصَدِيقِي.

(٥) جَاءَتْ مُدَرِّسَتَانِ جَدِيدَتَانِ، إِحْدَاهُمَا لِلسِّيرَةِ وَالْأُخْرَى لِلتَّفْسِيرِ.

(الْمُذَكَّرُ: أَحَدٌ.   الْمُؤَنَّثُ: إِحْدَى)

Study the following sentences: ١٠- تَأَمَّلِ الْأَمْثِلَةَ الْآتِيَةَ:

(١) هَذَا الْقَلَمُ ذُو اللَّوْنَيْنِ مُفِيدٌ جِدًّا.

(٢) أَيَّ قَمِيصٍ غَسَلْتِ يَا أُمِّي؟   غَسَلْتُ الْقَمِيصَ ذَا الْجَيْبَيْنِ.

(٣) الْمُدِيرُ فِي تِلْكَ الْغُرْفَةِ ذَاتِ النَّافِذَتَيْنِ الْمَفْتُوحَتَيْنِ.

88

(٤) لِمَن هَذِهِ السَّيَّارَةُ ذَاتُ البَابَينِ؟

(٥) ذَلِكَ الْمَسْجِدُ ذُو الْمَنَارَتَيْنِ جَمِيلٌ جِدًّا.

(٦) أَنَا لاَ أُحِبُّ ذَاكَ الرَّجُلَ فَإِنَّهُ ذُو وَجْهَيْنِ.

الكَلِمَاتُ الْجَدِيدَةُ: New words:

رَجُلٌ ذُو وَجْهَيْنِ: الَّذِي يَأْتِي كُلَّ طَائِفَةٍ بِمَا يُرْضِيهَا.

مُشْطٌ (ج أَمْشَاطٌ)	مِخَدَّةٌ (ج مَخَادُّ)	زِرٌّ (ج أَزْرَارٌ)
مِرْآةٌ (ج مَرَايَا)	لِصٌّ (ج لُصُوصٌ)	جُنَيْهٌ (ج جُنَيْهَاتٌ)
مُفِيدٌ	السِّيرَةُ	التَفْسِيرُ
ذَبَحَ (يَذْبَحُ)	شَرَحَ (يَشْرَحُ)	

POINTS TO REMEMBER

In this lesson, we learn the following:

1) The dual when it is *mansûb* and *majrûr*. We have learnt in Book 2 the dual when it is *marfû'*, e.g.:

لي أَخوَان. 'I have two brothers.'

في بَيْتي غُرْفَتان كَبِيرَتَان. 'There are two large rooms in my house.'

We have learnt that the normal *marfû'* ending is '-**u**', the *mansûb* ending is '-**a**', and the *majrûr* ending is '-**i**', e.g.:

أَيْنَ الْمُدَرِّسُ؟ 'Where is the teacher?' (al-mudarris-**u**)

سَأَلْتُ الْمُدَرِّسَ. 'I asked the teacher.' (al-mudarris-**a**)

قُلْتُ لِلْمُدَرِّسِ. ' I said to the teacher.' (al-mudarris-**i**)

But the dual has different case endings. The *marfû'* ending in the dual is '-**âni**', and the *mansûb* and *majrûr* ending is '-**aini**', e.g.:

هٰذانِ رِيالانِ. 'These are two riyals.' (riyâl-**âni**)

أُرِيدُ رِيالَيْنِ. 'I want two riyals.' (riyâl-**aini**)

اشْتَرَيْتُهُ بِرِيالَيْنِ. 'I bought it for two riyals.' (riyâl-**aini**)

Here are some more examples:

قَرأْتُ كِتابَيْنِ. 'I read two books.'

رَجَعْتُ بَعْدَ يَوْمَيْنِ. 'I returned after two days.'

جَاءَ مُدَرِّسَان جَدِيدَان. 'Two new teachers came.'

سَمِعْتُ هَذَا الْخَبَرَ مِنْ إِذَاعَتَيْنِ. 'I heard this news from two radio stations.'

2) أَحَدُهُما... وَالآخَرُ... 'one of them ... and the other ...', e.g.:

لي أَخَوان: أَحَدُهُما طَبِيبٌ وَالآخَرُ مُهَنْدِسٌ. 'I have two brothers: one of them is a doctor and the other is an engineer.'

90

The feminine is إحْدَاهُما ... والأُخْرَى ..., e.g.:

لِي أُخْتَانِ: إِحْدَاهُما مُدَرِّسَةٌ وَالأُخْرَى مُمَرِّضَةٌ. 'I have two sisters: one of them is a teacher and the other is a nurse.'

VOCABULARY

ذُو وَجْهَيْنِ	hypocrite (two-faced)	مُفِيدٌ	useful
مُشْطٌ	comb	مِخَدَّةٌ	pillow (pl. مَخَادُّ)
السِّيرَةُ	The prophet's biography	تَفْسِيرٌ	commentary of the Qur'an
زِرٌّ	button	ذَبَحَ يَذْبَحُ	(a-a) to slaughter
مِرْآةٌ	mirror	شَرَحَ يَشْرَحُ	(a-a) to explain
لِصٌّ	thief	جُنَيْهٌ	pound (monetary unit)

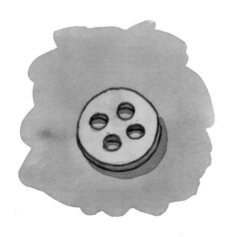

GOODWORD
www.goodwordbooks.com

ARABIC for beginners

Goodword **Arabic Writing** Book 1

Goodword **Arabic Writing** Book 2

Madinah Arabic Reader Book 1
EIGHT PART COURSE FOR THE LEARNING OF ARABIC AS TAUGHT AT THE ISLAMIC UNIVERSITY, MADINAH
Dr. V. Abdur Rahim

Madinah Arabic Reader Book 2
AN EIGHT-PART ARABIC LANGUAGE COURSE AS TAUGHT AT THE ISLAMIC UNIVERSITY, MADINAH
Dr. V. Abdur Rahim

Madinah Arabic Reader Book 3
AN EIGHT-PART ARABIC LANGUAGE COURSE AS TAUGHT AT THE ISLAMIC UNIVERSITY, MADINAH
Dr. V. Abdur Rahim
GOODWORD